아이세움 논술 | 명작 37

톰 소여의 모험

감수 및 개발 참여

감수 박우현

동국대학교 철학과를 졸업하고 동 대학원에서 비트겐슈타인의 〈논리철학논고〉에 관한 연구로 박사 학위를 받았습니다. 한우리독서문화운동본부 교육원장으로 활동했습니다. 그동안 쓴 책으로는 〈논리를 꿀꺽 삼킨 논술〉 등이 있습니다.

편집·진행 비단구두

비단구두는 밥만큼 아이들 책을 좋아하는 사람들이 모여 어린이들에게 꼭 필요한 이야기와 철학이 담긴 책을 만드는 아동 도서 전문 기획회사입니다.

캐릭터 디자인 아이원커뮤니케이션(www.ionecom.co.kr)

아이원커뮤니케이션은 도전하는 창조적 정신과 책을 사랑하는 열정으로 우리 생활 곳곳에 꼭 필요한 좋은 책을 만들고자 탄생한 Book 콘텐츠 기획·제작 전문 회사입니다.

아이세움 논술 l 명작 37

톰 소여의 모험

원작 마크 트웨인 l **엮음** 정설아 l **그림** 박준우 l **감수** 박우현
펴낸날 2008년 3월 10일 초판 1쇄, 2014년 1월 10일 초판 9쇄
펴낸이 김영진

본부장 조은희 l **사업실장** 김경수
편집장 박철주 l **편집·진행** 박희정, 위혜정 l **디자인** 서남이
펴낸곳 (주)미래엔 l **주소** 서울시 서초구 잠원동 41-10
전화 마케팅 02)3475-3843~4 편집 02)3475-3924 l **팩스** 02)541-8249
등록 1950년 11월 1일 제16-67호 l **홈페이지** www.i-seum.com

ISBN 978-89-378-4854-4 74840
ISBN 978-89-378-4116-3 (세트)

· 책값은 뒤표지에 있습니다.
· 파본은 구입처에서 교환해 드리며, 관련 법령에 따라 환불해 드립니다. 다만, 제품 훼손 시 환불이 불가능합니다.

Mirae N 아이세움은 (주)미래엔의 어린이책 브랜드입니다.

아이세움 논술 | 명작 37

톰 소여의
모험

마크 트웨인 원작

정설아 엮음 | 박준우 그림

아이세움
i-seum

좋은 책 한 권이 열 학원보다 낫습니다

 세월이 가도 우리의 가슴에 남아 있는 책이 고전이요, 시간이 흘러도 우리의 머리에 오래 기억되는 작품이 명작입니다. 좋은 책은 읽는 것만으로도 가치가 있습니다. 어렸을 때 감동 깊게 읽은 책들은 세월이 가도 내 몸에 향기로 남습니다.

책의 향기는 그 어떤 향기보다 향기롭습니다.

독서를 한 후에 생기는 느낌은 상당히 중요합니다. 나의 느낌은 나만의 재산입니다. 그 느낌을 말로 표현하거나 글로 써 보면 한 번 더 생각하는 사람이 됩니다. 한 번 더 생각하면 생각이 깊어지고 정확해집니다.

〈아이세움 논술 | 명작〉은 '좋은 책을 한 번 더 읽자'는 의도에서 만든 것입니다. 책은 읽어야 내 것이 됩니다. 느낌으로 다가오고 생각으로 다가옵니다. 그러나 학년이 올라가면 올라갈

수록 느낌만이 아니라 자신의 생각도 중요해집니다. 나의 생각이 곧 내가 누구인지를 알려 주는 것이기 때문입니다.

어떤 문제에 대해 자신만의 생각을 적절한 이유와 더불어 쓰는 것이 논술입니다. 〈아이세움 논술 | 명작〉은 책을 다 읽은 후에 그와 관련된 것들을 한 번 더 생각해 보는 데 도움을 줍니다. 그리하여 우리가 읽은 명작을 내 것이 되도록 도와 줍니다. 논술 워크북과 가이드북이 그 역할을 할 것입니다.

좋은 책 한 권은 열 학원보다 낫습니다.

쓰기가 싫으면 그냥 재미있는 책만 읽어도 됩니다. 명작을 읽는 것만으로도 훌륭한 공부를 하는 것이니까요. 그러다 어느 순간에 쓰고 싶은 생각이 들면 써 보세요. 생각나는 대로 써도 좋습니다. 쓴다는 사실만으로도 한 단계 발전한 것이니까요.

가슴에 쓰는 글은 나를 위해 쓰는 글이며 종이에 쓰는 글은 역사를 위해 쓰는 글입니다. 글이 역사를 만듭니다. 명작과 더불어 향기를 느끼고 자신의 글과 더불어 생각하는 사람이 되기를 진심으로 바랍니다.

전 한우리독서문화운동본부 교육원장

박우현

명작 읽기의 소중함

열심히 책만 읽기에는 너무 고단한 우리 학생들에게 다시 '논술' 열풍이 불고 있다. 학생들이 스스로 즐겨 그렇게 된 것은 아니지만, 학생들을 위해 결코 나쁜 일이라고만 말할 수는 없을 것이다.

새삼스러운 얘기일 터이지만 좋은 글을 쓸 수 있는 가장 빠른 길은 "많이 읽고(다독多讀)·많이 쓰고(다작多作)·많이 생각(다상량多商量)"하는 삼다(三多)밖에 다른 것이 없다.

먼저 다독이 문제다. 많이 읽는다고 해서 아무 책이나 마구잡이로 읽는 것을 다독이라고 하지는 않는다. 많이 읽되, 좋은 책을 읽을 때 그것이 다독이다. 그렇다면 어떤 책이 좋은 책일까?

우선 고전이라 할 명작에는 사람이 세상을 살면서 알아야 할 온갖 삶의 지혜와 가치가 담겨 있다. 가령 〈지킬 박사와 하이드〉에서는 인간 내면에 혼재해 있는 선과 악의 대립을, 〈동물농장〉

에서는 삶을 한없이 타락시키는 전체주의와 아름다운 삶을 지향하는 인간의 무한한 이상의 끊임없는 갈등과 투쟁에 대한 반추를 해 볼 수 있다. 이런 고전을 재미있게 읽고 생각하는 기회를 갖는 것이 바로 좋은 글을 쓸 수 있는 바탕이다. 문제는 고전이 너무 어렵고 분량이 방대하다는 점이다.

이번에 출간된 〈아이세움 논술 ﹒명작〉은 원전의 내용을 재구성해 어린 학생들이 쉽게 고전과 친해지도록 만들었다. 지루함을 덜기 위해 캐릭터를 사용해서 그 캐릭터들과 끊임없이 교감하며 끝까지 책을 손에서 놓지 못하게 만든 것도 이 시리즈의 특색이요 장점일 터이다. 책 뒤에 논술을 학습할 수 있도록 논술 워크북과 가이드북을 제공하여 '학습과 논술'이라는 두 문제를 다 해결할 수 있도록 배려한 점도 주목할 만하다. 어린 학생들이 편안하고 소중한 독서 경험을 하리라 본다.

물론 이 명작선은 완역본이 아니므로 이것만 읽어서는 해당 작품을 제대로 읽었다고 말할 수 없을 것이다. 그러나 훗날 학생들이 성장하여 완역본으로 다시 읽고 올바르게 이해하는 데 큰 도움이 되도록 세심한 배려를 했다.

이 점도 이 시리즈가 귀하고 값진 이유이다.

시인
신경림

| 차 례 |

나 뒤뚱이와 함께
미시시피 강을 따라
모험을 떠나 볼까?

뒤뚱아,
모험이라면 나 번빠리를
배놓을 수 없을걸!

통과 함께 떠나는
모험이라면 나도
따라갈래!

모험에는 위험이
뒤따르는 법,
모두 조심하라고!

박테리아   고로케   튜브   팬티맨

PART 1
PART 1 PART 1
PART 1 PART 1 PART 1
PART 1 PART 1 PART 1 PART 1
PART 1 PART 1 PART 1 PART 1 PART 1
PART 1 PART 1 PART 1 PART 1 PART 1 PART 1
PART 1 PART 1 PART 1 PART 1 PART 1
PART 1 PART 1 PART 1 PART 1
PART 1 PART 1 PART 1
PART 1 PART 1

명작 살펴보기

모험을 좋아하는 꿈 많은 소년
톰을 만나고 싶지 않니?

PART 1

명작 살펴보기

말썽꾸러기들의 보물 찾기

뒤뚱이와 번빠리가 학교로 톰을 찾아갔어요.
같이 보물을 찾아 모험을 떠나려고요.
보물 찾기라는 말에 신이 난 톰은 학교 담을 훌쩍
뛰어넘어 어디론가 달려갔어요.

뒤뚱이와 번빠리는 톰이 찾은 보물이 무엇인지 모르나 봐요.
톰에게 진정한 보물은 모험 자체인데 말이에요.
톰과 함께 짜릿하고 흥미진진한 **모험 속으로 떠나볼까요?**

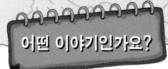

기발한 장난과 긴장감 넘치는 모험!

오늘 읽어 볼 이야기는 〈톰 소여의 모험〉이에요. 신문 기자로 활동하던 마크 트웨인이 마흔한 살에 쓴 작품으로 유쾌하고 흥미진진한 톰의 모험담을 다루고 있지요. 이 책은 100여 년이 지난 지금도 많은 사람의 사랑을 한 몸에 받고 있어요.

톰의 기발한 장난과 긴장감 넘치는 모험 뒤에는 권위만 내세우기 좋아하는 어른들이 버티고 있어요. 엄격한 어른들은 자꾸만 톰을 붙잡아 놓으려 하고, 톰의 행동이 나쁘다면서 고치려고만 하지요. 하지만 톰은 이러한 어른들에 맞서 장난과 모험을 즐기며 어른들의 혼을 쏙 빼놓는 답니다.

톰은 나쁜 아이일까요?

말썽꾸러기 톰은 늘 어른들을 곤란하게 하고 걱정을 끼쳐요. 하지만 톰은 말썽만 부릴 뿐 나쁜 짓은 하지 않아요. 살인을 저지르고도 시침 뚝 떼는 인디언 조를 보세요. 톰까지 혀를 내두를 정도라니까요.

성격이 밝고 모험을 즐기는 톰이지만 인디언 조가 무서워 살인 사건의 진실을 알면서도 말하려 하지 않아요. 톰은 과연 진실을 털어놓을 수 있을까요? 그리고 톰의 장난과 모험으로 어떤 일들이 일어날까요?

작가 어니스트 헤밍웨이가 "영국에 셰익스피어가 있다면 미국에는 마크 트웨인이 있다."고 할 정도로 마크 트웨인은 많은 사람들의 존경을 받고 있단다.

Start 발단

톰 소여는 마을에서도 유명한 장난꾸러기이다. 어느 날 밤 허크와 함께 묘지에 간 톰은 인디언 조가 사람을 죽이는 것을 목격한다. 하지만 인디언 조는 술주정뱅이 머프 포터 영감에게 죄를 뒤집어씌운다.

expansion 전개

톰은 사람들이 문제아 취급하자 외딴 섬으로 모험을 떠났다가 자신의 장례식 때 나타난다. 살인 사건의 진실을 밝힌 뒤 인디언 조가 사라지자 톰은 불안에 떨지만 허클베리와 함께 보물 찾기에 몰두한다.

climax 절정

톰은 인디언 조가 어딘가에 보물을 숨겨 놓았다는 것을 알게 된다. 베키와 소풍을 갔다가 맥두걸 동굴을 탐험하던 톰은 길을 잃게 되고 엎친 데 덮친 격으로 인디언 조와 만난다.

ending 결말

톰과 베키는 가까스로 집으로 돌아온다. 톰은 허클베리와 함께 맥두걸 동굴에 있던 인디언 조의 보물을 가져온다. 말썽꾸러기로 유명했던 톰은 이제 마을의 영웅이 된다.

어른 사회에 불쑥 내민 도전장

기발한 상상과 짓궂은 장난을 하면서 활기차게 생활하는 톰의 모습을 보세요. 공부는 싫어하면서 놀 때는 계획까지 세워 노는 톰의 행동들이 작품에 긴장감과 재미를 더하지요.

어디에도 매이지 않고 저 가고 싶은 대로 흐르는 미시시피 강처럼 톰도 자유를 꿈꿔요. 어른들은 이런 톰을 이해하지 못하고 문제아 취급만 한답니다. 하지만 톰은 살인 사건도 멋지게 해결하고 보물을 찾는 데도 성공하지요. 문제아 취급을 받던 톰은 차츰차츰 달라져서 허클베리에게 충고까지 하는 모습을 보여 줍니다.

어른들의 고정 관념에 발랄한 도전장을 내민 톰! 멋쟁이 악동 톰의 활약을 지켜 보아요.

▼ 〈톰 소여의 모험〉에는 미시시피 강가에 살았던 마크 트웨인의 어린 시절이 담겨 있어요.

진실한 모습이란 어떤 모습일까요?

〈톰 소여의 모험〉에 나오는 어른들은 대부분 톰의 마음을 이해하지 못해요. 그 누구도 톰이 일으키는 소동에 너그럽지 않지요. 어른들은 뭐든지 규칙대로 하기를 좋아하고 규칙에서 벗어나면 곧바로 회초리를 들어요. 정말 그것이 톰을 위한 길일까요?

작품 속에 나오는 교회나 학교는 모두 규칙으로 똘똘 뭉친 곳이에요. 하지만 그곳에 있는 어른들의 모습은 그렇지도 않아요. 생동감 있는 톰과 달리 넥타이를 목 끝까지 졸라맨 듯한 딱딱한 모습들뿐이랍니다. 더구나 마지막에 톰을 영웅 취급하는 어른들의 모습은 위선으로 가득 차 있기까지 해요.

어른들의 이런 모습과 말썽꾸러기 톰의 모습 중 어떤 것이 더 진실할까요? 〈톰 소여의 모험〉을 읽으며 그 차이를 느껴 보세요.

> 어른들은 어린이들에게 규칙을 지키라고 잔소리를 해. 어른들이 규칙을 더 무시하면서 말이야.

> 장난꾸러기 톰의 모험을 따라가 보면 저절로 용기가 솟아나.

◀ 톰과 허클베리는 대자연 속에서 신나는 모험을 펼쳐나간답니다.

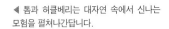
잠시 휴식! 과일 젤리를 먹고 〈톰 소여의 모험〉을 읽어 보세요!

PART 2
PART 2 PART 2
PART 2 PART 2 PART 2
PART 2 PART 2 PART 2 PART 2
PART 2 PART 2 PART 2 PART 2 PART 2
PART 2 PART 2 PART 2 PART 2 PART 2 PART 2
PART 2 PART 2 PART 2 PART 2 PART 2
PART 2 PART 2 PART 2 PART 2
PART 2 PART 2 PART 2
PART 2 PART 2

명작 읽기

톰과 허클베리가 벌이는 소동과
신나는 모험을 즐겨 봐!

PART 2

명작 읽기

1장
개구쟁이 톰

"톰, 어디 있니?"

아무런 대답이 없자 폴리 이모는 코끝에 걸친 안경을 매만지며 더 크게 외쳤다.

"이 녀석이 도대체 어디로 간 거야? 톰!"

폴리 이모는 열려 있는 창문으로 다가가 정원을 내다보았다. 한여름의 정원은 토마토 넝쿨과 흰독말풀로 그득했다. 톰은 그곳에도 보이지 않았다.

그때였다. 등 뒤에서 우당탕 소리가 들리더니 벽장 안에서 톰이 튀어나왔다.

"톰, 이 녀석!"

폴리 이모가 재빨리 톰의 뒷덜미를 움켜잡았다.

"벽장 안에서 뭘 하고 있었던 거지?"

"아무것도 안 했는데요, 이모."

"뭐라고? 네 손하고 입에 잼이 잔뜩 묻어 있는데도 거짓말을 해? 아무래도 매를 맞아야겠구나."

톰은 매라는 말에 움찔했다.

"앗! 이모, 저기 좀 보세요!"

톰은 폴리 이모의 뒤쪽을 가리키며 소리쳤다.

톰은 나만큼 장난꾸러기인걸!

폴리 이모는 톰이 가리키는 쪽으로 고개를 돌렸다. 그 순간 톰은 재빨리 정원으로 뛰쳐나가더니 높은 울타리를 단숨에 뛰어넘었다. 폴리 이모는 그 모습을 보고는 잠시 멍하니 서 있다가 피식 웃고 말았다.

'나도 참, 매번 당하기만 한다니까. 매를 들고 싶을 때가 한두 번이 아니지만 부모를 잃은 가여운 녀석한테 너무 매정한 일 같아서……, 쯧쯧. 하지만 톰이 오늘도 학교에 가지 않았으면 내일은 토요일이니 하루 종일 일을

시켜야겠어.'

폴리 이모는 단단히 결심했다.

이모의 예상대로 톰은 수업을 빼먹은 채 신나게 놀았다.

"톰, 오늘 날씨가 무더워 공부하기 힘들었겠구나?"

폴리 이모는 집으로 돌아온 톰의 눈치를 살피며 슬며시 물었다.

"네, 이모. 정말 힘들었어요."

폴리 이모는 이때다 싶어 다시 물었다.

"그럼 수영하러 가고 싶었겠네?"

폴리 이모는 톰의 셔츠를 슬쩍 만졌다. 셔츠는 보송보송했다.

"물론 수영하러 가고 싶었지만 꾹 참았죠. 하지만 너무 더워서 친구들하고 물장난을 하며 놀았어요. 머리카락이 조금 젖었을걸요."

톰은 가슴이 뜨끔했지만 태연하게 말했다.

"네 말대로 수영을 하지 않았다면 셔츠 깃은 뜯지 않았겠구나. 어디 좀 보자."

폴리 이모가 바짝 다가서자 톰은 당당히 단추를 풀어 셔츠 깃이 그대로 있다는 것을 보여 주었다.

"음, 네 말이 맞구나."

폴리 이모의 입가에 미소가 번졌다.

그때 옆에 있던 동생 시드가 끼어들었다.

"이모가 하얀 실로 꿰맸던 것 같은데 왜 까만 실로 바뀌어 있지?"

"맞다! 하얀 실로 꿰맸었지!"

폴리 이모의 말이 채 끝나기도 전에 톰은 후닥닥 달아났다.

"이 녀석, 어디 두고 보자!"

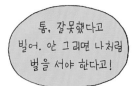

폴리 이모는 약이 올라 발을 동동 굴렀다.

어둑어둑해져서야 톰은 살금살금 창문으로 기어 올라갔지만 벼르고 있던 폴리 이모에게 붙들리고 말았다.

"톰, 너 내일 각오해!"

다음 날 톰은 하얀색 페인트가 들어 있는 통과 기다란

톰, 잘못했다고 빌어. 안 그러면 나처럼 벌을 서야 한다고!

손잡이가 달린 붓을 들고 울타리 앞으로 다가갔다.

울타리는 높이가 3미터에 폭이 30미터였다. 페인트가 든 통을 내려놓으며 톰은 한숨을 내쉬었다.

'저걸 언제 다 칠하지?'

순간 잔뜩 벼르고 있을 폴리 이모의 얼굴이 떠오르자 톰은 어깨를 늘어뜨린 채 붓을 집어 들었다.

'조금 있으면 친구들이 이 길을 지나갈 텐데……'

놀려 댈 친구들을 생각하니 마음이 편치 않았다.

톰은 주머니를 뒤져 자신만의 보물인 구슬과 잡동사니를 꺼냈다. 아무리 보물을 들여다봐도 기분은 나아지지 않았다. 구슬을 다시 집어넣으려는 순간, 톰의 머릿속에 기발한 생각이 떠올랐다.

'맞아, 바로 그거야!'

톰은 휘파람을 불어 가며 천연덕스럽게 페인트칠을 했다. 잠시 뒤 벤 로저스가 사과를 먹으며 나타났다. 톰은 애써 벤을 외면한 채 페인트칠에만 온 신경을 쏟아 부었다. 마치 화가가 멋진 작품이라도 그리는 것처럼 페인트

칠을 한 번 하고는 한발짝 뒤로 물러나 턱을 괴고는 감상
鑑賞했다. 그러고는 다시 한 번 부드럽게 페인트를 칠한
다음 멀찍이 떨어져서 울타리를 관찰했다.

"톰, 이모한테 붙잡혀서 일하고 있구나."

벤은 고소해 죽겠다는 표정이었다.

"아, 벤! 너였구나. 난 또 누구라고."

톰은 무심한 척 대꾸했다.

"난 지금 수영하러 가는데, 넌 일을 해야 하니까 못 가
겠구나."

"내가 일하고 있다고?"

톰은 페인트칠한 울타리에서 눈길을 떼지 않은 채 되물
었다.

"그럼 아니니?"

톰은 다시 붓을 들고 꼼꼼하게 페인트칠을 하면서 능청
을 떨었다.

감상(鑑賞) : 예술 작품을 이해하여 즐기고 평가함.

"하긴, 일이라고 할 수도 있지. 하지만 나 같은 어린애가 이런 페인트칠을 할 수 있는 기회가 많은 줄 아니? 이건 바로 나, 톰 소여에게 딱 어울리는 일이라고."

벤은 사과를 베어 물다 말고 멈칫했다. 그러고는 톰이 하는 행동을 찬찬히 지켜보았다. 톰은 매우 정성스럽게 울타리를 칠하고 있었다. 한 발 뒤로 물러서서 자신이 칠한 곳을 감상한 후 다시 페인트를 칠하고 또다시 물러서서 칠한 부분을 바라보았다. 그런 모습을 보자 벤도 갑자기 페인트칠을 하고 싶어졌다.

"톰, 나도 한 번 해 보면 안 될까?"

벤은 사정하는 투로 매달렸다.

피돌이 톰은 사람의 심리를 이용하는 데도 선수라고!

"아, 안 돼. 폴리 이모가 특별히 나한테 맡긴 일이야. 이런 일을 잘할 수 있는 아이는 거의 없거든."

톰은 깊이 생각하는 척하더니 고개를 저었다.

"그러지 말고, 나 한 번만 해 볼게. 응?"

"벤, 나도 그러고 싶어. 하지만 폴리 이모가 시드나 다

른 아이들이 해 보고 싶다고 해도 절대 손대지 못하게 하라고 말씀하셨어. 만약 실수라도 하는 날엔⋯⋯."

"정말 조심해서 칠할게. 대신 이 사과, 너 줄게."

"어어, 정말 안 돼."

"톰, 너 다 먹어."

"정 그렇다면 한번 칠해 봐."

톰은 어쩔 수 없다는 표정으로 벤에게 붓을 건넸다.

벤은 강렬하게 내리쬐는 햇볕 아래서 땀을 뻘뻘 흘리며 페인트칠을 했다. 그러는 동안 톰은 나무 그늘 아래에 앉아 벤이 준 사과를 와작와작 씹어 먹었다.

톰의 꾐에 순진한 소년들이 줄줄이 걸려들었다. 시간이 지날수록 페인트칠을 하겠다는 아이는 점점 늘어났다. 톰은 아이들에게 물건을 받고서야 페인트칠을 할 수 있게 해 주었다. 오후가 되자 톰은 엄청난 부자가 되어 있었다. 뿐만 아니라 페인트는 세 번이나 칠해졌다.

페인트칠을 마친 톰은 폴리 이모에게 울타리를 보여 주었다.

"정말 대단하구나, 톰. 이제 나가 놀아도 좋아."

폴리 이모는 기특하다며 톰에게 사과 한 알을 주었다. 순진한 친구들 덕분에 톰은 그날도 신나게 놀 수 있었다.

교회 학교를 가는 일요일이 되었다. 교회 학교는 9시부터 10시 반까지였고, 10시 반부터는 예배를 보았다.

사촌 누나 메리가 톰의 얼굴을 씻기고 머리를 단정하게 빗겨 주었다. 메리는 깨끗하고 깃이 잘 펴진 양복을 꺼내 톰에게 입히고 밀짚모자까지 눌러 씌웠다.

톰은 깔끔해진 자신의 모습이 마음에 들지 않았다. 메리는 구두약을 잔뜩 발라 반짝반짝 빛나는 구두까지 내놓았다.

"톰, 정말 근사하다."

"근사하긴. 불편해 죽겠단 말야."

메리의 칭찬에 톰은 투덜거렸다.

가족과 함께 교회에 도착한 톰은 주변을 두리번거렸다. 그러다가 말쑥하게 차려입은 아이에게 다가갔다.

"너 노란색 딱지 있어?"

"응."

"내가 사탕이랑 낚시 바늘 줄게. 바꾸지 않을래?"

톰이 사탕과 낚시 바늘을 보여 주자 아이는 선뜻 노란색 딱지를 내놓았다. 톰은 같은 방법으로 여러 장의 딱지를 모았다. 노란색 딱지뿐 아니라 빨간색 딱지와 파란색 딱지도 모았다.

교회 학교에서는 성경 구절句節을 잘 외우는 어린이에게 딱지를 상으로 주었다. 두 구절을 외우면 파란색 딱지를 주었는데 빨간색 딱지 한 장이 파란색 딱지 열 장과 같고, 노란색 딱지 한 장은 빨간색 딱지 열 장과 같았다.

노란색 딱지를 열 장 모으면 교회 학교의 교장 선생님이 성경을 상으로 주었다. 톰은 그 상을 타 사람들 앞에서 박수를 받아 보고 싶었다.

교장 선생님의 설교가 끝나자 아이들이 웅성거리기 시

구절(句節) : 한 토막의 말이나 글.

작했다. 교회 안으로 낯선 손님들이 들어왔기 때문이다. 머리가 희끗희끗한 중년 신사와 부인 그리고 한 여자 아이가 들어와 귀빈석에 앉았다.

곧이어 교장 선생님이 손님들을 소개했다. 콘스탄티노플에서 온 중년 신사는 바로 명성이 자자한 대처 판사였다. 교회 학교 선생님들은 다들 대처 판사에게 잘 보이기 위해 애썼다.

톰은 자꾸만 여자 아이에게 눈길이 갔다. 웬일인지 가슴도 두근거렸다. 톰이 여자 아이에게서 눈을 떼지 못하고 있을 때였다.

"노란색 딱지 열 장 모은 사람 있나?"

교장 선생님이 아이들 사이를 돌아다니며 물었다.

성경 구절을 잘 외우는 아이들을 내세워 대처 판사에게 교회를 자랑하고 싶었기 때문이다. 그러나 딱지를 모은 아이는 한 명도 없었다. 교장 선생님이 실망한 표정으로 막 돌아서려는 순간 톰이 벌떡 일어났다. 그리고 노란색 딱지, 빨간색 딱지 각각 9장과 파란색 딱지 10장을 가지

고 나왔다.

"어, 어…… 톰!"

교장 선생님은 깜짝 놀라 말끝을 흐렸다.

톰과 딱지를 바꾼 아이들도 하나같이 입을 쩍 벌렸다. 그제야 톰한테 속았음을 깨달은 것이다. 교장 선생님은 어쩔 수 없이 톰에게 성경을 선물로 주었다.

그러자 대처 판사가 다가와 톰의 머리에 손을 얹으며 칭찬했다.

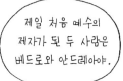

제일 처음 예수의 제자가 된 두 사람은 베드로와 안드레아야.

"성경 구절을 이렇게 많이 외우다니, 훌륭하구나. 어디 내가 내는 문제를 맞혀 보려무나. 예수의 열두 제자 가운데 제일 처음 제자가 된 두 사람은 누구지?"

톰은 고개를 숙인 채 옷깃을 잡아당기며 머뭇거렸다. 지켜보는 교장 선생님도 가슴이 두근거렸다. 한참 만에 얼굴이 새빨개진 톰이 대답했다.

"다윗과 골리앗이요!"

교회 안은 순식간에 웃음바다로 변했다.

2장
해적이 될 거야

월요일이 되었다. 톰은 학교 가는 길에 허클베리 핀을 만났다.

허클베리는 주정뱅이의 아들이자 어린 부랑자로 마을에서 유명했다. 남이 입다 버린 옷을 1년 내내 입었고, 모자도 심하게 낡아 가장자리가 너덜거릴 정도였다. 바지에 달린 멜빵도 하나뿐이고, 엉덩이 부분은 포대를 입은 것처럼 축 처져서 바지 밑단이 땅에 질질 끌렸다.

허클베리는 아무 데서나 잠을 자고 학교나 교회를 다니지도 않았다. 물론 보살펴 주는 사람도 없었다. 자기가 하고 싶은 대로 하고 놀기 싫을 때까지 놀았다. 톰은 이런 허클베리의 생활이 무척이나 멋있어 보였다.

"허크, 뭐 해?"

톰이 허클베리에게 다가갔다.

"안녕, 톰! 이거 볼래?"

"그게 뭐야?"

"죽은 고양이!"

"으아! 이걸 어디에 쓰려는 거야?"

"사마귀 떼어 내는 데 쓸 거야."

"죽은 고양이로 사마귀를 떼어 낸다고? 어떻게?"

"자정 무렵 죽은 고양이를 가지고 묘지에 가서 못된 사람의 영혼靈魂을 데려가는 악마를 만나야 해. 그 악마에게 죽은 고양이를 던지면서 '악마는 시체를, 고양이는 악마를, 사마귀는 죽은 고양이를 따라가라. 이제 너와 난 끝이다!' 이렇게 외치는 거야. 그럼 악마들이 사마귀를 떼어 간다더라. 마녀라고 소문난 홉킨스 할머니 알지? 그 할머

영혼(靈魂) : 죽은 사람의 넋.

니가 알려 준 방법이야."

"그래? 묘지는 언제 갈 거야?"

"오늘 밤에. 토요일 날 돌아가신 호스 윌리엄스 영감
있지? 악마들이 오늘 밤에 데리러 올 거야."

"나도 같이 가자. 11시쯤 우리 집 앞에서
고양이 울음소리로 신호를 보내. 그럼 곧
바로 나올게."

"좋아."

둘은 약속을 하고 헤어졌다. 허클베리와 노
닥거리는 바람에 톰은 지각을 하고 말았다.

"도대체 학교는 왜 늦은 거니?"

선생님은 잔뜩 화를 내며 따져 물었다.

톰은 변명을 하려다가 멈칫했다. 교회에서
보았던 여자 아이가 교실에 앉아 있었기 때문
이다.

"허클베리 핀과 이야기하다가 늦었습니다."

선생님은 황당해서 더 이상 아무 말도 하지 않았다. 그

허클베리가 주인공인
소설 〈허클베리 핀〉은
흑인 차별이라는 미국의
인종 문제를 최초로
다룬 작품이야.

대신 지각한 벌로 톰을 여자 아이 옆의 빈자리에 앉혔다.

톰은 여자 아이를 흘깃흘깃 훔쳐보았다. 여자 아이는 모르는 척 고개를 돌렸다. 톰이 복숭아를 슬쩍 내밀었지만 여자 아이는 그대로 밀쳐 버렸다. 그러자 톰은 석판石板에 이렇게 적었다.

'제발 받아 줘! 난 복숭아가 많아.'

여자 아이는 잠시 석판을 내려다보았을 뿐 아무런 말도 없었다.

톰은 석판을 가린 채 그림을 그리기 시작했다. 톰이 무슨 그림을 그리는지 궁금해진 여자 아이는 고개를 빼고 기웃거렸으나 볼 수가 없었다.

결국 참지 못하고 톰에게 속삭였다.

"그림 좀 보여 줘."

그제야 톰은 굴뚝에서 연기가 피어오르는 집을 그린 그림을 보여 주었다.

석판(石板) : 석필로 글씨와 그림을 그릴 수 있도록 석판석을 얇게 깎아 만든 판.

"멋있다! 사람도 그릴 수 있어?"

톰이 고개를 끄덕였다. 그러고는 여자 아이 얼굴을 그려 주었다.

"그림을 정말 잘 그리는구나. 나도 너처럼 그림을 잘 그렸으면 좋겠어."

그림을 본 여자 아이가 환하게 웃었다.

"내가 이따 점심시간에 가르쳐 줄게."

"정말?"

"그래. 근데 넌 이름이 뭐니?"

"난 베키 대처야. 넌 토머스 소여지?"

"응. 그냥 톰이라고 불러."

톰은 이번에도 베키가 보지 못하게 손으로 석판을 가린 채 무언가 쓰기 시작했다. 베키가 또 보여 달라며 조르자 톰은 못 이기는 척했다.

"좋아, 대신 누구한테도 말하지 않겠다고 약속해."

"알았어. 약속할 테니 보여 줘."

톰이 슬그머니 손을 치웠다.

'널 사랑해.'

베키의 얼굴이 발갛게 달아올랐다. 그와 동시에 톰은 선생님의 손에 귀를 잡히는 벌을 받아야 했다. 하지만 마음만은 행복했다.

점심시간이 되었다. 톰은 석필을 쥔 베키의 손을 잡고 석판에 집을 그려 주었다.

"베키, 너 약혼해 봤어? 남자랑 여자랑 결혼하기로 약속하는 것 말이야."

"아니."

"하고 싶지 않니?"

"글쎄, 아직 잘 모르겠어. 그런데 약혼은 어떻게 하는 거야?"

"간단해. 이제부터 넌 다른 남자 아이를 안 만나고 난 다른 여자 아이를 안 만나면 돼. 그리고 그 증표_{證票}로 입맞춤을 하는 거야."

톰은 자기의 마음을 표현하는 데도 거침이 없군!

증표(證票) : 증명이나 증거가 될 만한 표.

베키가 싫다고 도리질 쳤으나 한참을 티격태격하던 둘은 결국 입을 맞추었다.

"자, 이제 우리는 약혼한 사이야. 앞으로 나말고 다른 남자 애를 만나면 절대 안 돼."

"알았어, 톰."

"약혼하면 학교도 같이 가고 집에도 같이 가야 해. 약혼을 하면 다 그렇게 하는 거야. 전에 에이미라는 애하고도……."

톰이 얼른 손으로 자기 입을 막았다.

"톰, 나말고 약혼한 애가 또 있었단 말이야?"

베키가 눈을 동그랗게 뜨면서 물었다.

"아니, 그게 아니라……. 이제 에이미한테는 아무런 관심도 없어."

그때 갑자기 베키가 울기 시작했다. 톰은 다정하게 말을 건네기도 하고 안아 주기도 했으나 베키는 울면서 밀쳐 내기만 했다. 톰은 자기가 가장 아끼는 놋쇠 손잡이를 베키 앞에 내밀었다.

"이거 너 줄게. 가져!"

베키는 쌀쌀맞게 톰의 손을 탁 쳐 버렸다. 그러자 놋쇠 손잡이가 바닥에 떨어졌다. 기분이 상한 톰이 밖으로 뛰쳐나가자 그제야 베키가 쫓아오며 소리쳤다.

"톰!"

하지만 톰은 이미 어디론가 사라지고 없었다. 베키는 그 자리에 주저앉아 펑펑 울었다.

톰은 골목길을 정신없이 거닐다가 카디프 언덕 꼭대기로 올라가 더글러스 저택 뒤로 돌아갔다. 잠시 서서 뒤를 돌아보니 저 아래로 학교가 보였다.

톰은 가던 길을 계속 걸어 숲 속 깊이 들어갔다. 나무로 둘러싸인 주변은 아무 소리도 들리지 않아 고요했다. 톰은 한적(閑寂)한 무덤 옆에 드러누웠다.

"베키는 너무해. 잘해 주려고 했는데, 남의 속도 모르고 말이야."

한적(閑寂) : 한가하고 고요함.

톰은 자기가 사라진 것을 알면 베키가 어떤 기분일지 생각해 보았다. 울면서 무척이나 후회할 것 같았다. 그러자 기분이 조금 나아졌다.

톰은 아주 먼 곳으로, 미지未知의 세상으로 떠나는 상상을 했다. 그러려면 군인이 되어야 할 것 같았다. 전쟁을 해서 드넓은 평야를 손 안에 넣고 싶었다. 그리고 먼 훗날 추장이 되어 친구들 앞에 나타나면 모두 부러워할 것 같았다.

그러다가 톰은 추장보다 더 멋져 보이는 해적이 되어야겠다고 생각했다. 커다란 배를 타고 해골이 그려진 검은 깃발을 휘날리며 파도치는 바다를 질주하면 엄청 멋있을 것 같았다. 상상만으로도 가슴이 벅찼다.

톰은 자리에서 벌떡 일어나 윗옷과 바지를 벗어 던지고는 멜빵을 풀어 허리띠인

'카리브 해의 검은 해적' 톰 소여가 바다를 정복하러 길을 떠난다!

미지(未知) : 아직 알지 못함.

양 찼다. 그리고 덤불숲에서 엉성한 모양의 화살과 활, 나무칼과 나팔을 찾아냈다.

'뿌우.'

톰이 나팔을 불자 저 편에서 톰의 절친(切親)한 친구 조하퍼가 나타났다.

"넌 누구냐!"

조가 묻자 톰은 냉큼 대답했다.

"난 로빈 후드다!"

"네가 그 악명 높은 숲 속의 무법자로구나. 어디 한판 붙어 보자!"

톰은 공중에 대고 화살을 쏘았다. 진짜 로빈 후드가 된 것처럼 뒹굴며 나무칼을 휘둘렀다. 톰과 조는 그렇게 칼싸움을 하며 시간을 보냈다.

어때? 톰의 앞에 어떤 모험의 세계가 펼쳐질까 기대되지 않니?

절친(切親) : 더할 나위 없이 아주 친함.

3장
의문의 살인 사건

밤이 되자 톰과 시드는 잠자리에 누웠다. 시드는 금세 잠들었지만 톰은 허클베리의 신호를 기다리다 깜빡 잠이 들었다.

11시 무렵, 잠결에 고양이 울음소리가 들려왔다. 곧이어 창문 열리는 소리가 나더니 누군가 버럭 소리를 질렀다.

"이 망할 고양이! 저리 가!"

이어 빈 병이 요란하게 깨지는 소리도 들려왔다.

그 소리에 잠이 깬 톰은 얼른 자리에서 일어났다. 재빨리 옷을 챙겨 입고 헛간 지붕 위로 살짝 뛰어내렸다. 이어 바닥으로 내려서자 죽은 고양이를 손에 든 허클베리가 기다리고 있었다.

톰과 허클베리는 묘지를 향해 타박타박 걸어갔다. 묘지는 마을에서 꽤 떨어진 곳에 자리 잡고 있었다. 묘지 주변을 둘러싸고 있는 울타리는 금방이라도 쓰러질 듯 기울어져 있었다. 풀과 잡초들이 무성한 묘지 앞에 비석 대신 세워진 낡은 나무 조각은 벌레가 파먹은 흔적이 뚜렷했다. 나무 조각에 쓰여 있는 글씨를 전혀 알아볼 수 없을 정도였다.

톰과 허클베리는 드디어 호스 윌리엄스 영감의 무덤을 찾았다. 두 사람은 숨소리를 죽인 채 무덤 옆에 있는 느릅나무 뒤로 가 몸을 숨겼다. 이따금씩 들려오는 부엉이 울음소리뿐 사방은 무서울 정도로 고요했다.

"여기 진짜 무시무시하다. 무덤 속에 누워 있는 사람들이 우리 얘기를 듣고 있을까?"

톰이 먼저 입을 열어 정적靜寂을 깼다.

정적(靜寂) : 고요하여 괴괴함.

"당연하지. 그러니까 죽은 사람들 이야기를 할 때는 조심해야 한댔어."

허클베리가 나지막이 대답했다.

"가만, 누군가 이쪽으로 오고 있어! 허크, 유령이면 어떡해!"

톰이 허클베리의 팔을 덥석 잡으면서 속삭였다.

깜깜한 한밤중에 그것도 묘지에서 유령이 나타나면 얼마나 무서울까?

"유령은 무슨 유령! 겁내지 마. 우릴 해치진 않겠지. 그냥 가만히 있으면 지나 갈 거야."

톰과 허클베리는 부들부들 떨면서 몸을 잔뜩 웅크렸다.

얼마 지나지 않아 묘지 반대편에서 양철 등잔燈盞을 손에 든 세 남자가 나타났다. 그들은 소곤소곤 이야기를 하며 걸어오고 있었다.

등잔(燈盞) : 기름을 담아 등불을 켜는 데 쓰는 그릇.

"톰, 유령이 아닌 것만은 확실해. 그리고 저 목소리 말야, 머프 포터 영감 목소리 같은데?"

허클베리가 나직이 속삭였다.

"정말?"

"틀림없어. 가만, 또 한 사람도 알겠다. 저건 인디언 조의 목소리야."

"그 무시무시한 인디언 조 말야? 대체 무슨 일을 꾸미는 거지?"

톰과 허클베리는 숨죽이고 지켜보았다.

세 남자는 무덤 가까이 다가왔다.

"바로 여기요."

한 남자가 등잔을 높이 쳐들며 말했다. 그러자 남자의 얼굴이 드러났다. 젊은 의사 로빈슨이었다.

포터 영감과 인디언 조는 끌고 온 손수레를 세웠다. 두 사람은 손수레에서 삽을 꺼내 호스 윌리엄스 영감의 무덤을 파기 시작했다.

"얼른 하시오. 달이 나올지도 모른단 말이오."

로빈슨이 재촉하자 포터 영감과 인디언 조는 퉁명스럽게 대꾸하고는 계속해서 무덤을 팠다.

　얼마 뒤 두 사람은 관을 들어 올리더니 삽으로 관 뚜껑을 열고 안에 있는 시체를 바닥에 내동댕이쳤다. 달빛이 구름 사이로 시체의 얼굴을 비추었다. 손수레에 시체를 실은 두 사람은 그 위에 담요를 덮고는 밧줄로 꽁꽁 묶었다.

　"돈을 좀 더 내야겠소. 아니면 그냥 두고 갈 거요."

　길게 늘어진 밧줄을 주머니칼로 잘라 내며 포터 영감이 말하자 인디언 조도 맞장구쳤다.

　"맞는 말이야."

　"뭐라고? 돈은 이미 달라는 대로 주었잖소."

　로빈슨이 다그치자 인디언 조가 가까이 다가가 말했다.

　"물론 그렇지. 하지만 5년 전 자네 부자는 내게 빚을 졌어. 자네는 먹을 걸 달라고 사정하던 나를 쫓아냈어. 그리고 자네 아비는 부랑자라고 나를 감옥에 처넣었지. 내가 그걸 잊은 줄 아나? 똑같이 갚아 주겠어!"

　순간, 로빈슨이 인디언 조의 얼굴에 주먹을 날렸다. 그

바람에 인디언 조는 나동그라졌다.

"이 자식이, 내 친구를 치다니!"

포터 영감은 들고 있던 칼을 내팽개치고는 로빈슨의 멱살을 잡고 몸싸움을 벌였다.

인디언 조가 두 사람 주위를 빙빙 돌면서 기회를 노렸다. 로빈슨이 순식간에 호스 윌리엄스 무덤의 묘표를 뽑아 포터 영감을 내리쳤다. 포터 영감이 쓰러지는 것과 동시에 인디언 조는 로빈슨의 가슴을 칼로 찔렀다. 칼에 찔린 로빈슨은 포터 영감 위로 고꾸라졌다.

바로 그 순간, 구름이 달을 가려 주변이 칠흑 같이 어두워졌다. 톰과 허클베리는 뒤도 돌아보지 않고 무조건 달렸다.

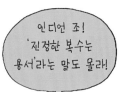

"드디어 복수를 했어."

인디언 조는 혼잣말로 중얼거리더니 죽은 로빈슨의 주머니를 뒤져 돈을 꺼냈다. 그러고는 피 묻은 칼을 기절해 쓰러져 있는 포터 영감의 오른손에 쥐어 주었다.

얼마 지나지 않아 포터 영감의 정신이 돌아왔다. 자신의 손에 칼이 들려 있고 죽은 로빈슨이 자기 몸 위에 널브러져 있는 것을 발견한 포터 영감은 겁에 질려 몸을 부들부들 떨었다.

"어, 어떻게……."

포터 영감이 누명을 쓰게 됐어. 톰은 과연 진실을 밝힐까?

말을 잇지 못하는 포터 영감을 보고 인디언 조가 씁쓸한 표정을 지었다.

"당신이 일을 이렇게까지 만들 줄은 정말 몰랐소."

"내가 뭘 어쨌다고 그러는 거야? 아까 술을 좀 마시긴 했지만 멀쩡하단 말이야. 아니, 아무것도 기억記憶나지 않아. 이봐 조, 대체 어떻게 된 거야?"

"둘이 싸우던 중 로빈슨이 묘표로 당신을 내리쳤소. 그 바람에 잠시 기절했던 당신이 일어나 칼을 집어 들더니

기억(記憶) : 이전의 인상이나 경험이 의식 속에서 떠오름.

다짜고짜 의사를 찌르더군. 그러고는 다시 쓰러졌다가 지금에야 깨어난 거요."

인디언 조의 말에 포터 영감은 눈물을 흘리며 무릎을 꿇고 사정했다.

"조, 제발 아무한테도 말하지 마. 자네는 나와 아주 친한 사이잖아."

"알았소. 평소에 영감이 나한테 잘해 줬으니 부탁을 들어주도록 하지. 자, 얼른 도망치시오."

"고맙네, 고마워!"

포터 영감이 잽싸게 달아났다.

"겁쟁이 영감 같으니라고!"

포터 영감의 뒷모습을 지켜보던 인디언 조가 중얼거리면서 어디론가 사라졌다. 톰과 허클베리는 정신없이 달렸다. 발소리에 놀란 개들이 마구 짖어 댔다. 숨이 턱에 찰 때까지 달린 톰과 허클베리는 무두질 공장 안으로 들어가서야 가쁜 숨을 고를 수 있었다.

"허크, 이젠 어떻게 되는 거지?"

겁에 질린 톰이 물었다.

"로빈슨 의사가 죽었다면 인디언 조는 교수형을 당할 거야."

"우리가 사실을 밝혀야겠지?"

톰의 목소리가 떨렸다.

"무슨 소리야? 혹시라도 인디언 조가 교수형을 당하지 않으면 우리를 죽이고 말걸. 누군가 사실을 밝혀야 한다면 그건 포터 할아버지야."

"하지만 포터 할아버지도 술에 취해 있었으니 상황을 제대로 모르잖아. 그러니 어떻게 사실을 밝히겠어?"

"참! 그렇겠구나, 톰."

두 아이는 잠시 고민에 빠졌다.

"아무튼 이 일은 영원히 우리 둘만 아는 거야. 비밀을 지키지 않으면 우린 쥐도 새도 모르게 죽을지도 몰라. 어서 맹세^{盟誓}해."

맹세(盟誓) : 일정한 약속이나 목표를 꼭 실천하겠다고 다짐함.

허클베리가 조그맣게 속삭였다.

"그래, 우리 맹세하자."

주머니에서 빨간 납석을 꺼낸 톰은 널빤지를 주워 비밀
을 지키겠다는 글을 썼다. 그런 다음 바늘로 엄
지손가락을 찔러 피를 내고는 자기 이름의
머리글자인 'T'와 허클베리의 머리글자
인 'H'를 적었다. 널빤지를 맞들고 주문을
외운 톰과 허클베리는 땅을 파고 널빤지를
묻었다. 그러고는 무두질 공장을 빠져나
왔다.

다음 날 마을은 전날 있었던 사건으
로 발칵 뒤집혔다. 어떤 사람은 로빈슨 옆
에서 발견된 피 묻은 칼이 포터 영감의 것이라면서 수군
거렸다. 또 어떤 사람은 평소에 잘 씻지 않는 포터 영감이
깜깜한 새벽에 개울에서 씻는 것을 봤는데, 자기와 눈이
마주치자 도망쳤다고 조심스럽게 털어놓았다.

마을 사람들이 하나 둘 묘지로 모여들었다. 그곳에는

무두질은 짐승의
가죽을 이용하기
쉽도록 부드럽게
만드는 일을 뜻해.

보안관도 있었다. 톰과 허클베리는 사람들 틈에 낀 인디언 조를 발견했다. 온몸이 떨려 왔다.

"저런 몹쓸 사람이 있나. 살인을 저지르고 제 발로 현장을 찾아오다니, 정말 양심도 없군."

누군가의 말에 모여 있던 사람들이 술렁였다. 저 멀리서 겁에 질린 포터 영감이 걸어오고 있었다.

보안관은 잽싸게 달려가 포터 영감의 팔을 꽉 붙들고는 의사 로빈슨의 시체가 있는 무덤 쪽으로 데려왔다.

"내가 한 짓이 절대 아니오, 믿어 줘요."

포터 영감은 몸을 덜덜 떨었다. 그리고 두 손으로 얼굴을 가리더니 울음을 터뜨렸다.

"이거, 당신 거요?"

보안관은 피 묻은 칼을 포터 영감 앞에 내밀며 물었다.

"이보게 조, 자네가 아는 대로 솔직率直히 말하게. 나는 모든 것을 포기했네."

솔직(率直) : 거짓이나 숨김이 없이 바르고 곧음.

포터 영감은 그 자리에 주저앉은 채 울먹였다. 그러자 가까이 다가온 인디언 조가 보안관에게 거짓말을 늘어놓기 시작했다. 옆에서 잠자코 듣던 톰과 허클베리는 기가 막혔다.

그 일이 있은 뒤 톰은 잠을 제대로 이루지 못했다. 피를 보았다며 잠꼬대를 하기도 하고, 손을 부들부들 떨다가 물을 쏟기도 했다.

시드는 그런 톰을 의아疑訝한 눈길로 지켜보았다. 몸이 쇠약해진 탓이라고 걱정하던 폴리 이모는 약까지 지어 와 먹이고 간병을 했다.

톰은 일주일을 꼬박 앓고 난 뒤에야 간신히 자리에서 일어날 수 있었다.

의아(疑訝) : 의심스럽고 이상함.

4장
섬에서의 생활

병이 말끔히 나은 톰은 아팠을 때 이모가 준 진통제(鎭痛劑)를 고양이에게 먹였다. 진통제를 삼킨 고양이는 미친 듯이 날뛰며 화분을 쓰러뜨리는 등 온 집 안을 난장판으로 만들었다.

"말 못하는 짐승을 괴롭히면 어떡하니? 제발 착한 아이가 되렴."

폴리 이모는 톰을 호되게 꾸짖었다.

톰은 자기가 진통제를 먹는데 고양이가 다가와 한 입만

진통제(鎭痛劑) : 중추 신경에 작용하여 아픔을 멎게 하는 약제.

달라고 애걸하는 것 같아서 준 것뿐이라
고 변명했다. 그러나 폴리 이모의 화는
누그러들지 않았다.

학교에 간 톰은 베키를 찾았다. 일부러
베키 주변에서 뛰어다니며 재주를 넘고 물
구나무를 서기도 했다.

"누구는 자기가 멋진 줄 아나
봐? 잘난 척이나 하고 말이지. 흥!"

베키가 턱을 치켜세우며 큰 소리로 말했다.

얼굴이 벌겋게 달아오른 톰은 재빨리 달아났다. 그러고
는 학교를 나와 들판을 거닐었다.

'아무도 날 좋아하지 않아. 모두들 날 내쫓고 싶어 해.
그래, 모두의 소원대로 없어져 주겠어.'

그때 멀리서 조 하퍼가 다가왔다.

"톰, 정말 억울해. 나는 집에 크림이 있는 줄도 몰랐단
말야. 그런데 엄마는 내가 훔쳐 먹었다며 매까지 때렸어.
엄마는 내가 없어지기를 바라는 게 분명해."

조 하퍼는 훌쩍거리며 톰에게 하소연했다.

"조, 그렇다면 우리 해적이 되는 게 어때? 어차피 집을 떠날 거라면 거리를 헤매는 것보다 바다 위의 해적이 더 멋지지 않아?"

톰의 말에 조가 고개를 끄덕였다.

톰과 조는 미시시피 강 건너에 있는 잭슨 섬으로 가기로 했다. 잭슨 섬은 세인트피터즈버그에서 5킬로미터 떨어진 곳에 있는 작은 섬이었다. 울창한 나무가 우거진 숲과 모래사장이 아름다운 그 섬은 강폭이 2킬로미터밖에 되지 않는 지점에 있어 쉽게 건널 수 있었다.

세계적으로 오스트레일리아 이상의 큰 육지를 대륙이라고 부르고 그린란드 이하의 육지를 섬이라고 부른대!

톰과 조는 허클베리에게도 물어보았다. 허클베리는 기뻐하며 그 제안을 받아들였다. 아이들은 자정에 작은 뗏목이 있는 강둑에서 만나기로 약속하고 헤어졌다.

자정 무렵 톰은 햄과 잡동사니를 챙겨 들고 약속 장소

로 갔다. 조용히 흐르는 물결 위로 반짝이는 별빛이 어른거렸다. 사방은 쥐 죽은 듯 고요했다.

톰이 휘파람을 불자 저편에서 응답을 해 왔다.

"거기 누구냐?"

"카리브 해의 검은 해적, 톰 소여다. 네 이름은 뭐냐?"

"붉은 손 허클베리 핀과 바다의 공포 조 하퍼다."

'붉은 손'과 '바다의 공포'는 모두 톰이 붙여 준 별명이었다.

잠시 뒤 한데 모인 아이들은 서로 가져온 것들을 내보였다. 조는 덩어리째 들고 온 커다란 베이컨을 내놓았다. 허클베리는 작은 냄비를 가져왔다. 아이들은 가져온 물건들을 들고 뗏목에 올랐다.

"바람 부는 쪽으로 뱃머리를 돌려라! 전진!"

톰이 큰 소리로 지휘指揮했다.

"알겠습니다, 선장님!"

지휘(指揮) : 목적을 효과적으로 이루기 위하여 단체의 행동을 통솔함.

조와 허클베리는 톰의 명령에 따라 양쪽에서 노를 힘껏 저었다.

아이들은 강을 가로질렀다. 강이 그리 깊지 않아서 강물은 아주 천천히 흘렀다. 톰은 강 건너 마을을 보며 해적이 된 기분을 만끽했다.

새벽 2시쯤 되어 잭슨 섬에 도착한 아이들은 모래사장에 뗏목을 대고는 가져온 물건을 섬 안쪽으로 옮겼다. 그러고는 어두컴컴한 숲 속에 캠프를 쳤다. 불을 지핀 아이들은 프라이팬에 베이컨을 구워 빵과 함께 먹었다.

"정말 신나는데!"

조의 말에 허클베리도 맞장구를 쳤다.

"맞아. 다른 아이들이 보면 무척이나 부러워할 거야."

"이제부터 시간에 맞춰 학교에 갈 필요도 없고, 하루 종일 아무 일 안 하고 빈둥거려도 돼. 이게 바로 내가 원하던 인생이야."

톰이 말하자 조는 고개를 주억거렸다.

"근데 해적은 뭘 하는 거야?"

허클베리가 톰에게 물었다.

"하긴 뭘 해? 배를 습격해 돈을 빼앗은 다음, 유령이 나올 것 같은 무시무시한 섬에 묻어 두는 거지."

"그러고는 금 장식이 주렁주렁 달린 멋진 옷을 입고 다니는 거야."

조의 말에 두 아이도 해적이 된 모습을 상상하며 황홀해 했다. 한참을 떠들던 아이들은 얼마 지나지 않아 잠이 들었다.

다음 날 아침, 잠에서 깨어난 아이들은 옷을 훌렁 벗어 던지고는 한 덩어리가 되어 모래사장을 뒹굴었다. 그러다가 물속으로 풍덩 뛰어들었다. 한참을 놀던 아이들은 전날 밤 타고 왔던 뗏목이 불어난 강물에 떠내려가고 없는 것을 알아차렸다. 하지만 아무래도 좋았다. 마을로 이어지는 길이 사라진 것 같아 오히려 기쁘기만 했다.

아이들은 캠프로 돌아와 모닥불을 지폈다. 그리고 허클베리가 찾아낸 샘물에서 물을 마신 다음 아침을 준비했다. 조는 농어 몇 마리와 메기를 잡아왔다. 아이들은 물고

기를 구워 베이컨과 함께 맛있는 식사를 했다.

톰과 조와 허클베리는 그늘에 누워 쉬기도 하고 탐험가

探險家처럼 숲을 탐색하기도 했다. 통나무
를 뛰어넘고, 무성한 수풀을 헤치고,
넝쿨을 휘장처럼 감으며 나무 사이
를 뛰어다녔다. 문득문득 집 생각이 나
기도 했지만 놀림을 받을까 봐 내색
은 하지 않았다. 그때 멀리서 '쿵'
하는 소리가 들려왔다.

다들 집 생각이
간절했지만 겁쟁이라고
놀림당할까 봐 입을 꾹
다물고 있었어!

"무슨 소리지?"

조가 놀라 몸을 웅크리며 묻자 톰도 목소리를 낮추었다.

"글쎄, 무슨 소릴까?"

"천둥 소리는 아닌 것 같은데……."

허클베리도 놀란 눈으로 주위를 살폈다.

그때 다시 '쿵' 소리가 들려오자 아이들은 살금살금

탐험가(探險家) : 전문적으로 탐험에 종사하는 사람.

강가로 가 보았다. 강둑에 서서 강을 내다보니 저 멀리서 작은 증기선이 강물을 따라 내려오고 있었다. 그 옆으로 여러 척의 보트가 노를 저으며 증기선을 따라왔다. 증기선 갑판에는 많은 사람이 모여 있었다. 그때 '펑' 소리와 함께 흰 연기가 솟아올랐다.

"알았다. 누군가 물에 빠진 거야!"

톰이 소리치자 허클베리도 맞장구를 쳤다.

"그래, 맞아! 지난여름에 누군가 물에 빠졌다면서 물속에 대포를 쏘는 걸 본 적이 있어. 그렇게 하면 시체가 떠오른대."

"그런데 누가 빠진 걸까?"

조의 말에 다들 궁금한 표정을 지었다.

"가만, 누군지 알겠어. 바로 우리를 찾는 거야!"

톰의 말에 조와 허클베리는 갑자기 영웅英雄이라도 된 것처럼 으쓱해졌다. 그동안 자기들을 괴롭히던 가족이 애타

영웅(英雄) : 지혜와 재능이 뛰어나고 용맹하여 어려운 일을 해내는 사람.

게 찾아 나섰다고 생각하자 아이들은 신이 나서 날뛰었다.

날이 저물자 세 아이는 모닥불 앞에 앉아 낮에 본 증기선에 대해 왁자지껄 떠들었다. 하지만 시간이 지날수록 말이 줄어들었다. 조는 자기들 때문에 슬퍼할 가족을 생각하니 마음이 아팠다.

"저, 우리 문명사회文明社會로 돌아갈까?"

조가 가라앉은 목소리로 물었다.

"흥, 말도 안 돼!"

톰과 허클베리는 조를 비웃었다.

조는 금세 기가 죽어 입을 다물었다.

아이들은 밤이 깊어서야 잠자리에 들었다. 톰은 자리에서 일어나 조와 허클베리의 얼굴을 조심스럽게 살폈다. 둘 다 깊은 잠에 빠져 있었다.

톰은 주변에 있던 흰 무화과 나무껍질을 집어 들고 주머니에서 붉은 석필을 꺼냈다. 그리고 모닥불 옆에 무릎

문명사회(文明社會) : 문명이 발달한 사회.

꿇고 앉아 글을 적고는 나무껍질을 윗옷 주머니에 말아
넣었다.

　까치발을 한 채 살금살금 빠져나온
톰은 모래사장을 향해 힘껏 달렸다.

　마침내 강가에 도착한 톰은 일리노이
쪽 강둑을 향해 첨벙거리며 물을 건넜다.
조금만 더 가면 선착장이 있었다. 물이 깊
어 더 이상 발이 닿지 않자 톰은 남은 거
리를 헤엄쳐 갔다. 거센 물살에 뒤로 밀
려나기도 했지만 얼마 뒤 무사히 도착할 수
있었다.

집에 돌아가기
싫다던 톰은 왜 혼자
강을 건넜을까?

　강가에 도착한 톰은 윗옷 주머니를 만져 보았다. 나무
껍질이 그대로 있었다. 옷에서 물이 뚝뚝 떨어졌으나 톰
은 아랑곳하지 않고 둑을 따라 나무들 사이를 걸어갔다.
다행히 아무에게도 들키지 않았다.

　나무 사이를 걷던 톰은 10시가 되기도 전에 마을 반대
편에 있는 공터에 도착했다. 울창한 나무와 강둑 사이로

증기선 한 척이 눈에 띄었다. 톰은 사람들 눈치를 살피다가 배의 뒷부분에 매달린 자그마한 보트로 재빨리 기어 올라갔다.

"출항出航!"

곧이어 배가 움직였다. 이 배가 일리노이에서 세인트피터즈버그로 가는 마지막 배라는 것을 톰은 알고 있었다. 잠시 뒤 배가 멈춰서자 톰은 배에서 빠져나와 다시 헤엄을 쳐서 뭍으로 올라왔다.

톰은 사람이 없는 조용한 골목길을 통해 집에 도착했다. 뒤뜰 울타리를 넘은 톰은 유리창 너머를 조심스럽게 들여다보았다. 폴리 이모와 시드, 메리 누나, 조 하퍼의 어머니 하퍼 부인이 모여 있었다.

톰은 가만히 문을 열고 들어가 재빨리 침대 아래로 몸

출항(出航) : 배가 항구를 떠남.

을 숨겼다.

그때 폴리 이모의 목소리가 들려왔다.

"촛불이 왜 이리 흔들리지? 문이 열렸나 보구나. 시드, 문 좀 닫고 오너라."

잠시 숨을 고른 톰은 좀 더 안쪽으로 기어 들어가다가 하마터면 폴리 이모의 발을 건드릴 뻔했다.

"사실 톰은 장난이 좀 심할 뿐이지, 못된 아이는 아니었어요. 출랑대고 덤벙거리기는 하지만 그렇게 좋은 아이도 드물 거예요."

폴리 이모는 끝내 울음을 터뜨렸다.

"우리 조도 그래요. 장난을 좋아하지만 욕심도 없고 무척 착하죠. 그런 애에게 매를 들다니……. 크림이 상해서 버린 걸 깜빡 잊고는 조가 먹은 줄 알았지 뭐예요. 그래서 그 애를 야단치고 때렸어요. 아이고, 돌아오기만 한다면 내 품에 꼭 안아 줄 거예요."

하퍼 부인이 눈물을 닦아 내면서 코를 훌쩍거렸다.

"저도 마찬가지랍니다, 부인. 마지막으로 봤을 때 톰이

저를 원망하는 이야기를 했던 게 자꾸 마음에 걸려요."

폴리 이모가 소리 높여 울기 시작하자 메리 누나와 시드도 따라 울었다. 톰은 당장이라도 뛰쳐나가 폴리 이모를 기쁘게 해 주고 싶었으나 꾹 참고 엎드려 있었다.

사람들은 톰과 조와 허클베리가 물에 빠져 죽은 것으로 알고 있었다. 아이들이 타고 갔던 뗏목이 강 하류에서 발견되었기 때문이다. 마을 사람들은 나흘 뒤인 일요일 아침까지 시체를 찾지 못하면 장례식을 치르기로 했다.

하퍼 부인이 흐느끼면서 돌아간 뒤 시드와 메리 누나도 엉엉 울면서 자기 방으로 갔다. 폴리 이모는 침대에 눕기 전에 기도를 했다. 톰에 대한 사랑이 듬뿍 담긴, 슬프면서도 감동적인 기도였다.

폴리 이모는 침대에 누워서도 한참을 흐느끼다가 겨우 잠들었다.

그제야 톰은 침대 밑에서 살금살금 기어 나와 잠든 폴리 이모의 뺨에 입맞춤을 했다. 그사이 얼굴이 많이 상한 폴리 이모를 보니 마음이 아팠다.

윗옷 주머니에서 글을 써넣은 나무껍질을 꺼내 촛불 옆에 얌전히 내려놓으려던 톰의 머릿속에 근사한 계획이 떠올랐다. 톰은 나무껍질을 윗옷 주머니에 다시 집어넣고 재빨리 집을 빠져나왔다. 그러고는 선착장으로 달려가 여객선 뒤에 매달려 있던 보트를 훔쳐 타고 섬으로 향했다.

섬에 돌아오니 조와 허클베리는 일찌감치 일어나 있었다. 톰이 집에 가서 본 일들을 말해 주자 아이들은 영웅이라도 된 양 어깨가 으쓱했다.

금요일 아침까지 세 아이는 거북 알 프라이 파티를 하는 등 잔치를 벌였다. 벌거숭이가 되어 술래잡기도 하고 물장구를 치며 노는가 하면, 상대방을 물속에 처박고는 깔깔거렸다. 놀다가 지치면 모래 위에 드러누워 잠을 잤다. 그리고 모래 위를 무대 삼아 서커스 놀이도 하고 구슬치기도 했다.

거북 알 프라이 맛이 어떤지 궁금하지?

하지만 그 누구의 간섭도 없는 하루하루가 지날수록 아이들은 조금씩 우울해졌다.

조는 집이 너무나 그리워 우울했다. 허클베리도 마음이 무거웠다. 톰은 자신이 세운 근사한 계획을 말해 주려다 아직은 때가 아닌 것 같아 참기로 했다.

"애들아, 이 섬을 한번 살펴보자. 어딘가에 보물이 있을지도 모르잖아."

활기찬 목소리로 톰이 제안했으나 조와 허클베리는 꿈쩍도 하지 않았다.

"우리 이제 집에 가자."

조가 불쑥 말했다.

"안 돼. 조금만 있으면 기분이 나아질 거야. 낚시나 수영을 하기에 여기보다 좋은 곳은 없단 말이야."

톰은 조를 달랬다.

"이제는 다 싫어졌어. 집에 가고 싶다고."

조는 울먹이면서 떼를 썼다.

"뭐야, 아직도 아기같이 굴다니……. 너, 엄마 보고 싶어서 그러는 거지?"

톰의 핀잔이 듣기 싫었는지 조는 버럭 소리를 지르며
일어섰다.

"그래, 엄마 보고 싶어! 난 집에 갈 거야!"

"갈 테면 가, 우리는 어리광이나 부리는 울보 따위는
필요 없어. 허클베리, 우린 그냥 여기에 있자. 넌 여기가
좋지?"

톰이 묻자 허클베리는 마지못해 고개를 끄덕였다.

옷을 챙겨 입은 조는 뒤도 돌아보지 않고 일리노이 쪽
강둑을 향해 걸어갔다.

"사실은 나도 돌아가고 싶어. 여기는 너무 쓸쓸해. 톰,
너도 가자."

허클베리는 고개를 숙인 채 작은 목소리로 말했다.

"싫어! 난 절대 안 갈 거야. 가고 싶으면 너나 가."

"톰, 잘 생각해 보고 얼른 와. 강가에서 기다릴게."

허클베리는 주섬주섬 옷을 입고는 조의 뒤를 따랐다.

"죽도록 기다려 봐라! 누가 갈 줄 알고?"

말은 그렇게 하면서도 톰은 은근히 걱정스러웠다.

"얘들아, 잠깐만! 할 얘기 있으니 기다려 봐!"

톰의 다급한 목소리에 조와 허클베리가 뒤돌아보았다. 톰이 다가가서 머릿속으로만 생각해 둔 근사한 계획을 말해 주자 아이들은 환호하며 날뛰었다. 그러고는 계획을 어떻게 실행에 옮길지 의논했다.

그날 밤, 깊은 잠에 빠졌던 아이들은 심상치 않은 기운에 잠에서 깨어났다. 바람 한 점 없고 숨이 막힐 듯 후덥지근했지만 아이들은 모닥불 옆으로 모여들었다.

칠흑 같은 어둠 속에 하늘이 쩍 갈라지면서 강한 빛이 '번쩍' 하며 밤을 대낮으로 바꿔 놓더니 순식간에 사라졌다.

강렬한 섬광閃光은 이후로도 몇 차례나 계속되었다.

번개와 천둥은 거의 동시에 일어나지만 빛과 소리의 속도가 달라 천둥소리가 나중에 들리는 거야.

섬광(閃光) : 순간적으로 강렬히 번쩍이는 빛.

"우르릉 쾅!"

천둥이 천지를 뒤흔들자 아이들은 서로를 끌어안고는 부들부들 떨었다.

나무를 뽑아 버릴 것만 같은 심한 바람이 휘몰아치자 숲 전체가 제멋대로 춤을 추었다. 후드득 하고 굵은 빗방울이 모닥불 위로 떨어졌다. 억수같이 쏟아지는 비를 맞으며 아이들은 강둑에 있는 떡갈나무 아래로 정신없이 달려갔다. 번개가 칠 때마다 모든 게 또렷이 드러났다.

섬을 집어삼킬 듯이 휘몰아치는 폭풍우의 위력은 대단했다. 바람에 쓰러진 나무, 소용돌이치는 강물, 세차게 뿌려 대는 빗줄기, 고막을 찢을 듯한 굉음轟音은 아이들을 점점 더 겁에 질리게 했다.

미친 듯 휘몰아치던 폭풍우는 한참 뒤에야 잠잠해졌다. 끔찍했던 밤이 지나가고 떡갈나무 아래로 몸을 피했던 아이들은 황폐해진 주변을 멍하니 바라보다가 캠프가 있는

굉음(轟音) : 몹시 요란하게 울리는 소리.

곳으로 터덜터덜 걸어왔다. 지붕 역할을 해 주던 단풍나무는 번개에 맞아 조각난 채 쓰러졌고, 모든 것이 물에 젖어 쓸모없게 되어 버렸다.

아이들은 그나마 덜 젖은 나뭇가지를 그러모아 힘겹게 모닥불을 피우고는 아침을 대충 해 먹었다. 집 생각이 간절했지만 근사한 계획을 떠올리면서 애써 참았다. 아이들은 우울함을 잊기 위해 발가벗고는 온몸에 진흙을 발랐다. 그리고 괴성怪聲을 지르고 경중경중 뛰어다니면서 인디언 놀이를 즐겼다.

혹시 톰과 친구들의 생활이 부럽진 않니? 이들 앞에 어떤 일이 펼쳐질지 계속해서 읽어 볼까?

괴성(怪聲) : 괴상한 소리.

5장
영웅이 되다

베키는 텅 빈 학교 운동장을 천천히 걸으며 중얼거렸다.

"톰이 놋쇠 손잡이를 줄 때 받아 둘걸. 시간을 되돌릴 수만 있다면 얼마나 좋을까? 그러면 톰에게 그때처럼 심한 짓은 하지 않을 텐데……."

베키는 톰이 그리워 주르륵 눈물을 흘렸다.

일요일 아침, 추모식을 알리는 종소리가 작은 마을에 울려 퍼졌다. 교회에 모인 학교 친구들과 마을 어른들은 모두 굳게 입을 다물었다.

곧이어 폴리 이모와 메리 누나, 시드가 들어오고 하퍼 가족도 들어와 자리를 잡았다. 모두 검은색 옷차림이었다.

목사는 아이들의 개구쟁이 짓은 쏙 빼고 칭찬 받은 일들만 이야기하면서 편한 마음으로 하늘나라에 가기를 기도했다.

아이들을 고약한 장난꾸러기로만 여기던 마을 사람들은 눈물을 흘리며 서로의 잘못을 고백했다.

잠시 뒤 찬송가와 성경 낭독(朗讀)이 이어졌다.

바로 그때였다. 바깥 쪽 복도에서 삐거덕거리는 소리가 났다. 그러더니 문이 빠끔히 열렸다. 손수건으로 눈물을 훔치던 목사는 문 쪽을 쳐다보고는 그 자리에 얼어붙고 말았다.

목사의 시선을 따라 고개를 돌린 사람들은 너무 놀라 의자에서 벌떡 일어서며 비명을 질렀다. 죽은 줄로만 알았던 세 아이가 통로를 따라 걸어 들어오고 있었기 때문이다.

톰이 맨 앞에 서고 조가 그 뒤에, 맨 뒤에는 허클베리가

낭독(朗讀) : 소리 내어 읽음.

슬금슬금 따라 들어왔다. 사실 아이들은 사람들의 눈에 띄지 않는 곳에 숨어서 목사의 추도사追悼辭를 다 듣고 난 뒤 나온 것이었다.

폴리 이모와 하퍼네 가족은 톰과 조를 껴안으며 입맞춤을 퍼부었다. 그러나 허클베리를 반겨 주는 사람은 아무도 없었다. 어정쩡하게 서 있던 허클베리가 슬금슬금 자리를 피하려 하자 톰이 팔을 붙잡으며 폴리 이모에게 말했다.

죽었다고 생각했던 아이들이 살아 돌아왔으니 얼마나 기쁠까?

"이모, 허클베리도 돌아왔잖아요. 같이 반겨 주셔야죠."

"그래, 그렇구나. 허클베리, 이 녀석아! 불쌍한 녀석, 반갑구나."

폴리 이모가 반겨 주자 허클베리는 쑥스러우면서도 기분이 좋았다.

순식간에 기쁨이 넘치는 분위기로 바뀐 교회 안에서 아

추도사(追悼辭) : 죽은 사람을 생각하여 슬퍼하는 마음을 표하는 말이나 글.

름다운 찬송가가 울려 퍼졌다.

집에 돌아온 폴리 이모는 매를 들어 톰을 때리다가 눈물을 흘리면서 껴안는 일을 몇 차례 반복했다. 톰은 폴리 이모가 자기를 사랑하는지 아닌지 헷갈리기만 했다.

톰이 비밀스럽게 계획했던 일은 자신들의 장례식 날 조용히 나타나 모두를 깜짝 놀라게 하는 것이었다.

아이들은 토요일 저녁에 통나무를 타고 미주리 강가를 건너 마을 어귀에 있는 숲에서 밤을 보냈다. 그러고는 아무에게도 들키지 않고 교회에 들어와 숨어 있었다. 그렇게 해서 계획을 멋지게 성공시킬 수 있었다.

월요일 아침 식사를 하는 자리에서 폴리 이모는 톰에게 유난히 다정스러웠다. 톰이 원하는 것은 무엇이든 들어주었고 평상시와는 달리 화목한 분위기 속에서 많은 이야기도 나누었다.

"톰, 그동안 너희야 신났겠지만 우리는 아주 고통스러웠단다. 통나무를 타고 돌아올 수 있었다면 그 전에 네가 살아 있다는 것 정도는 알려 줬어야지."

"그랬다면 계획은 망쳤겠죠. 하지만 전 이모를 사랑해요. 그곳에서 이모 꿈까지 꿨는걸요."

"무슨 꿈을 꿨는데?"

톰은 손가락으로 이마를 짚으며 뜸을 들었다.

"으음, 꿈속에서 이모가 시드와 메리 누나와 같이 방 안에 있는 것을 봤어요. 하퍼 부인도 있었고요."

"세상에! 정말 그랬단다. 또 무엇을 봤니?"

"바람이 불어서 문이 열리더니 촛불이 흔들리고……."

"세상에, 정말 딱 맞는구나! 그래, 그래서?"

"이모가 시드에게 문을 닫으라고 시키고, 또……."

톰은 그날 자기가 와서 본 일들을 꿈 이야기인 양 능청스럽게 이어갔다.

"전 나무껍질에 '저희는 죽지 않았어요. 해적 놀이를 하러 간 것뿐이에요.' 라는 편지便紙를 써서 탁자 위 촛불 옆에 두고 이모에게 입을 맞추었어요."

편지(便紙) : 안부, 소식, 용무 따위를 적어 보내는 글.

"어머나, 그랬구나. 톰!"

폴리 이모는 톰을 꼭 안아 주었다. 옆에서 톰의 말을 듣던 시드가 말도 안 된다면서 비아냥거렸지만 폴리 이모의 귀에는 들리지 않았다.

아침에 학교에 가 보니 톰은 이미 유명 인사가 되어 있었다. 아이들은 톰과 조를 부러운 눈으로 바라보았다. 톰은 진짜 해적이라도 된 양 고개를 치켜들고는 운동장을 걸어갔다.

멀리서 뛰어노는 베키가 눈에 띄었다. 톰은 못 본 척하고 다른 아이들에게 말을 건넸다. 베키는 술래잡기를 하며 슬금슬금 다가왔으나 톰은 눈길도 주지 않았다.

베키는 술래잡기를 그만두고 애써 태연한 척 다른 아이들과 재잘거렸다. 그래도 톰에게서 아무런 반응이 없자 베키는 아무도 없는 곳에 숨어 펑펑 울었다.

베키가 화가 단단히 나서 톰이 화해를 청해도 받아들이지 않을걸.

"어디 두고 보라지!"

베키는 조그만 주먹을 불끈 쥐었다.

쉬는 시간에도 톰은 에이미와 시시덕거리면서 베키 쪽을 흘끔거렸다. 충분히 애태웠으니 이제 말을 붙여야지 생각하며 고개를 돌렸는데, 베키는 알프레드와 머리를 맞대고 앉아 그림책을 보고 있었다.

'하필 저런 녀석과 사귀다니……. 싸움도 못하면서 집이 좀 잘 산다고 거들먹거리는 녀석하고 말야.'

톰은 옆에서 재잘거리는 에이미를 놔두고 교실 밖으로 나갔다.

베키는 톰이 보이지 않자 그림책에 흥미를 잃었다.

"와, 대단하다! 이것 좀 봐, 베키."

아무것도 모르는 알프레드가 그림책을 가리켰다.

"그만 해! 하나도 재미없단 말이야."

버럭 화를 낸 베키는 갑자기 울음을 터뜨리더니 교실 밖으로 뛰쳐나갔다.

깜짝 놀란 알프레드는 한동안 멍하니 생각에 잠겼다.

그러고는 베키가 자기를 이용해 톰에게 복수하려고 했다는 사실을 알아차렸다.

화가 치밀어 오른 알프레드는 톰의 공책을 꺼내 오후 시간에 배울 부분을 펼쳐 잉크를 부어 버렸다. 화장실에서 세수를 하고 오던 베키는 창문 밖에서 알프레드가 하는 짓을 모두 훔쳐보았다.

'톰에게 이야기해 줄까?'

베키는 잠깐 고민했으나 톰이 자기에게 한 일을 떠올리고는 모르는 척하기로 했다.

점심을 먹기 위해 집에 들어선 톰은 폴리 이모에게 호된 꾸중을 들어야 했다.

"톰, 너는 한밤중에 여기까지 찾아와 괴로워하는 우리 모습을 보고도 골탕 먹일 생각만 했구나. 그것도 모자라 꿈이라고 거짓말까지 하고 말이야."

"이모, 무슨 말씀이세요?"

"하퍼 부인에게 네 꿈 이야기를 했더니 네가 그날 밤 여기 왔다 갔다고 조가 얘기했다고 하더라. 얼마나 창피하던지……."

"이모, 잘못했어요. 하지만 골탕 먹이려고 집에 왔던
건 아니에요. 우리가 죽지 않았다는 것을 사실대로 알려
드리려고 온 거예요."

"네가 그렇게 기특한 생각을 했을 리 없지."

"이모, 정말이에요. 우리의 장례식 때 멋지게 나타나려
고 참은 거라고요. 정말로 나무껍질 편지를 두고 가려고
집에 왔던 거라니까요."

"나무껍질 편지라니?"

"우리가 해적놀이를 하러 간 거라고 나무
껍질에 편지를 썼거든요. 잠든 이모의
뺨에 입맞춤까지 했는데, 차라리 그때
이모가 깼으면 좋았을 뻔했어요."

톰의 말에 폴리 이모가 얼굴을 활짝 펴
며 물었다.

"정말로 내게 입을 맞췄단 말이니?"

"그럼요, 제가 이모를 얼마나 사랑하

사랑은 표현하는 게
중요해. 사랑하는
가족에게 마음을 한번
표현해 봐!

는데요."

폴리 이모는 톰의 볼에 입맞춤을 한 뒤 즐거운 마음으로 점심을 차려 주었다.

톰이 학교로 돌아가자 폴리 이모는 톰이 벗어 둔 윗옷을 뒤적거리기 시작했다.

"녀석이 또 거짓말을 했겠지만 기분은 참 좋군. 그래도 혹시……."

폴리 이모는 윗옷 주머니에서 나무껍질을 발견하고는 거기 쓰인 글을 읽었다.

"앞으로는 톰이 어떤 잘못을 저지른다 해도 모두 용서할 수 있을 것 같아."

나무껍질 편지를 읽고 난 폴리 이모의 입가에 환한 미소가 번졌다.

오후 수업을 기다리며 베키는 텅 빈 교실에 혼자 앉아 있었다. 수업이 시작되고 선생님이 톰의 공책을 보면 매를 들 것이 분명했다.

그 생각만 해도 고소해서 키득키득 웃던 베키는 선생님

책상의 서랍에 열쇠가 꽂힌 것을 발견했다.

선생님은 수업 중에도 가끔 이상한 책을 꺼내 보았다. 호기심이 발동한 베키는 주변에 아무도 없는 것을 확인한 뒤 조심스럽게 열쇠를 돌려 서랍에서 책을 꺼냈다. 책 표지에는 '해부학'이라고 씌어 있었다. 왠지 수상한 책 같았다.

생물체 내부의 구조와 기구를 연구하는 학문을 해부학이라고 해. 인체 해부학, 동물 해부학, 식물 해부학으로 나뉜단다.

베키가 조심스럽게 책장을 넘기려는 순간, 톰이 교실 안으로 들어왔다.

베키는 황급히 책을 덮다가 그만 한 장을 쭉 찢고 말았다. 당황한 베키는 잠시 망설이다가 얼른 책을 서랍에 넣고 열쇠로 잠갔다. 베키는 창피하고 부끄러운 마음에 톰에게 소리쳤다.

"톰, 넌 너무 비겁해! 왜 인기척도 없이 몰래 들어오는 거야?"

"무슨 소리야? 내가 뭘 어쨌다고?"

"너, 다 일러바칠 거지? 그럼 난 선생님한테 매를 맞게 될거야!"

베키가 책상 위에 엎드려 엉엉 울자 톰은 황당荒唐할 뿐
이었다.

이윽고 오후 수업이 시작되었다. 톰은 공책에 잉크를
쏟았다는 이유로 선생님에게 매를 맞았다. 베키는 사실대
로 말하고 싶었지만 꾹 참았다.

'어차피 톰도 내가 책을 찢었다고 선생님께 일러바칠
텐데, 뭐.'

톰은 매를 맞으면서도 별로 억울하지는 않았다. 자기도
모르는 사이에 공책에 잉크를 쏟았을지도 모른다는 생각
이 들었기 때문이다.

잠시 뒤 선생님은 아이들에게 수학 문제를 풀라고 한
뒤 책상 서랍에서 책을 꺼내 펼쳤다. 톰과 베키는 잔뜩 긴
장하여 선생님을 지켜보았다.

"누가 책을 찢은 거냐?"

황당(荒唐) : 말이나 행동 따위가 참되지 않고 터무니없음.

선생님은 아이들을 노려보면서 한 사람씩 이름을 부르기 시작했다.

"알프레드, 네가 찢었니?"

"아뇨, 저는 선생님 책상 곁에도 가지 않았어요."

드디어 베키 차례가 되었다.

"베키, 네가 그랬니?"

베키는 하얗게 질린 얼굴을 푹 숙인 채 아무 말도 하지 못했다.

"내 얼굴을 똑바로 봐!"

선생님의 호통에 놀라 고개를 든 베키가 모든 것을 털어놓으려는 순간, 톰의 목소리가 들려왔다.

"제가 찢었습니다!"

아이들의 시선이 모두 톰 쪽으로 향했다. 톰은 교탁 앞으로 불려 나와 선생님에게 호된 매질을 당했지만 잘 참아 냈다.

개구쟁이 톰에게 이런 멋진 면이 있다니 정말 놀라운걸!

베키는 톰에게 미안하고 고마웠다. 그래서 수업이 끝

난 뒤 벌을 서는 톰을 기다려 알프레드가 공책에 잉크를 쏟았다는 사실을 알려 주었다. 그리고 수줍은 목소리로 덧붙였다.

"톰, 넌 정말 멋진 남자야!"

그 후 며칠이 흘렀다. 방학이 다가올수록 선생님은 점점 더 엄하게 아이들을 다스렸다. 반짝반짝 빛나는 대머리를 가리기 위해 쓴 가발이 들썩거릴 정도로 채찍과 몽둥이를 휘둘러 댔다.

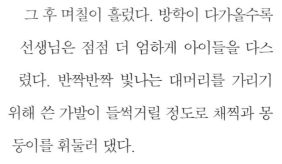

위선에 찬 선생님의 모습은 어른들의 세계를 풍자한 거야.

마침내 참다 못해 아이들은 학예회學藝會 때 선생님을 골탕 먹일 계획을 세웠다. 선생님이 하숙하는 간판집의 아들까지 비밀스런 계획에 끼어들었다.

"선생님은 이번 학예회 때도 거나하게 취해 집에서 잠깐 눈을 붙이실 거야. 그동안 너희는 교실에서

학예회(學藝會) : 학생의 예능 발표와 학예품 전시를 주로 하는 특별 교육 활동.

작전을 짜도록 해. 나중에 선생님이 깨어나시면 적당히 시간을 끌다가 모시고 갈게."

간판집 아들의 말에 아이들은 고개를 끄덕였다.

드디어 학예회 날이 되었다.

아이들은 시를 낭송하거나 연설演說을 했다. 톰도 우쭐거리며 앞으로 나가 "나에게 자유가 아니면 죽음을 달라."는 연설을 열띤 목소리로 읊어 대다가 까먹는 바람에 도중에 내려와야 했다.

점심시간에 술을 마시고 낮잠까지 자고 나온 선생님은 기분이 좋아 보였다. 지리 시범 수업 시간에는 칠판에 직접 지도를 그리기 시작했다. 그러나 술이 덜 깼는지 자꾸만 손이 떨려 지도가 일그러지고 말았다.

아이들이 웃는 바람에 선생님은 칠판을 지웠다. 그런데 웃음소리는 아까보다 더 커졌다. 선생님은 지도를 잘 그려 보려고 애썼으나 아이들의 웃음은 끊이지 않았다.

연설(演說) : 여러 사람 앞에서 자기의 생각이나 뜻을 말함.

사실 아이들이 웃는 이유는 다른 데 있었다. 선생님의 머리 위의 다락방으로 통하는 창문에서 줄에 매달린 고양이가 천천히 내려왔기 때문이다.

고양이는 몸을 활처럼 구부린 채 버둥거리며 천천히 아래로 내려왔다. 고양이가 필사적<small>必死的</small>으로 발톱을 세우고 네 발을 휘적거릴 때마다 아이들의 웃음소리도 커졌다.

선생님 머리 위까지 내려와 버둥거리던 고양이가 날카로운 발톱으로 선생님의 가발을 꽉 움켜쥐었다. 그러고는 고양이는 내려왔던 구멍 속으로 휙 사라졌다. 선생님의 대머리가 눈부시게 반짝였다. 그 모습을 지켜보던 아이들은 책상을 두드리며 큰 소리로 웃어 댔다.

필사적(必死的) : 죽을 각오로 열심히 함.

6장
진정한 용기

드디어 살인 사건에 대한 재판裁判이 시작되었다. 조용하던 마을이 다시금 술렁거렸다. 살인이란 말이 나올 때마다 톰은 심장이 얼어붙는 듯했다.

"허크, 너 비밀은 잘 지키고 있는 거야?"

아무도 없는 곳으로 허클베리를 불러낸 톰이 물었다.

"당연하지. 아무한테도 말 안 했어."

"좋아. 우리만 입 다물고 있으면 아무 일도 없을 거야."

톰과 허클베리는 둘만의 비밀을 지키기로 다시 한 번

재판(裁判) : 소송 사건에 대하여 법원이나 법관이 관련 법률에 따라 내리는 판단.

맹세했다.

"그런데 허크, 포터 할아버지에 대해 안 좋은 소문이
떠돌더라."

"포터 할아버지는 이제 죽은 목숨이야.
정말 안됐어. 늘 술에 취해 있지만 나쁜
사람은 아닌데 말이야. 저번에는 자기가
잡은 물고기도 나한테 나눠 줬거든."

"망가진 내 연도 고쳐 줬어. 낚싯줄에
낚시 바늘을 달아 준 적도 있었고."

톰과 허클베리는 찜찜한 기분을 달래기
위해 포터 영감이 갇혀 있는 감옥을 찾아갔
다. 그리고 쇠창살 틈으로 담배와 성냥을 넣어
주었다. 포터 영감은 몇 번이나 고맙다고 굽실거리면서
물건을 받았다.

"난 몹쓸 짓을 저질렀단다. 술에 취해서 말이다. 너희
는 그런 내게 잘해 주는구나. 고맙다. 절대 잊지 않으마."

그날 밤 톰은 누군가 나타나 비겁하다고 소리치는 악몽

에 시달려야 했다. 허클베리도 많이 괴로워했다. 두 사람은 하루도 빠짐없이 재판소 주변을 서성거렸다. 마을에는 포터 영감이 사형당할 거라는 소문이 떠돌았다.

드디어 판결 날이 되었다. 마을 사람들은 하나 둘 재판소로 모여들었다. 배심원들이 들어와 자리를 잡고 앉자 수척해진 포터 영감이 쇠사슬에 묶인 채 끌려 나왔다. 방청석에는 인디언 조도 있었다. 변호사와 검사가 들어오고 마지막으로 판사가 들어서자 재판이 시작되었다.

첫 번째 증인이 나와 살인 사건이 일어나던 날 새벽에 포터 영감이 개울에서 몸을 씻다가 자기를 보고는 도망쳤다고 말했다.

두 번째 증인은 시체 옆에서 칼을 발견했다고 말했다. 그리고 세 번째 증인은 포터 영감이 평소에 그 칼을 가지고 다녔다고 증언했다.

배심원은 법률 전문가가 아닌 일반 국민 가운데 선출되어 재판에 참여하는 사람을 말한단다.

곧이어 변호사가 반대 신문(訊問)이 없다면서 자리에 앉자 검사가 자신 있게 나섰다.

"마을 주민의 증언으로 볼 때 이번 살인 사건은 피고의 범행이 확실합니다."

포터 영감은 두 손으로 얼굴을 감싼 채 어깨를 들썩였다. 이윽고 변호사가 일어나 최후 변론(辯論)을 했다.

"존경하는 재판장님, 저희 변호인 측은 피고가 술을 마셔 제 정신이 아닌 상태에서 범행을 저질렀다는 사실을 증명하려 했습니다. 그러나 지금 나온 증인들로는 피고의 무죄를 인정할 수 없으므로 저희 측 증인으로 토머스 소여를 세울 것을 청합니다."

법정 안에 있던 사람들은 영문을 모르겠다면서 웅성거렸다. 피고인 포터 영감도 마찬가지였다. 이윽고 톰이 증언대에 서서 진실만을 말할 것을 선서했다.

신문(訊問) : 법원이나 기타 국가 기관이 어떤 사건에 관하여 증인, 당사자, 피고인 등에게 말로 물어 조사하는 일.
변론(辯論) : 소송 당사자나 변호인이 법정에서 하는 진술.

"토머스 소여, 살인 사건이 일어난 자정 무렵에 어디 있었습니까?"

톰은 방청석에 앉아 있는 인디언 조를 힐끗 보고는 저도 모르게 움찔했다.

"묘지에요."

톰은 두려움에 떨며 조그맣게 대답했다.

"좀 더 크게 말하세요. 사건이 일어난 시각에 어디 있었습니까?"

"묘지에 있었습니다."

"호스 윌리엄스 씨의 무덤에서 얼마나 떨어져 있었습니까?"

"지금 재판정에 서 있는 저와 변호사님의 거리만큼 떨어져 있었어요."

"숨어 있었습니까?"

"네, 무덤 옆 느릅나무 뒤에 숨어 있었어요."

톰의 말에 인디언 조의 얼굴이 살짝 일그러졌다.

"같이 갔던 사람이 있습니까?"

"네, 제 친구……."

"아, 이름은 밝히지 않아도 됩니다. 밤늦은 시간에 무덤에는 왜 갔습니까?"

"저…… 죽은 고양이를 가지고 갔어요."

방청객 몇몇이 피식거리며 웃자 변호사는 고양이 뼈를 증거품으로 제출해 사람들의 비웃음을 잠재웠다.

"자, 이제부터 증인이 본 대로 자세히 말해 보십시오."

방청석에 앉은 사람들은 진지眞摯한 자세로 톰의 말에 귀를 기울였다.

"로빈슨 의사 선생님이 묘표를 휘두르자 포터 할아버지가 쓰러졌어요. 그때 인디언 조가 칼로 의사 선생님을……."

"쨍그랑!"

유리창 깨지는 소리에 놀란 톰은 증언을 멈추었다. 방청석에 앉아 있던 인디언 조가 사람들을 밀치고 창문으로

진지(眞摯) : 마음 쓰는 태도나 행동 따위가 참되고 착실함.

후닥닥 도망을 친 것이었다.

그날 이후 톰은 또다시 영웅이 되었다. 어른들도, 아이들도 입을 모아 톰을 칭찬했다. 신문사에서는 재판이 일어나기 전날 변호사를 찾아가 모든 사실을 털어놓고 용기 있는 증언을 한 톰의 기사를 1면에 대문짝만 하게 실었다. 마을 사람들은 감옥에서 풀려나온 포터 영감을 따뜻하게 맞아 주었다.

톰의 용기 있는 증언이 억울한 죽음을 막아 주었군.

달아난 인디언 조에게는 현상금이 붙었다. 마을 사람들은 톰처럼 유명해지고 현상금도 받고 싶은 마음에 마을을 샅샅이 뒤졌으나 인디언 조는 어느 곳에도 보이지 않았다.

며칠 뒤 용기 있는 증언으로 유명해진 톰은 어디엔가 묻혀 있을 보물을 찾아내 다시 한 번 남자다움을 인정받고 싶었다.

톰은 허클베리를 만나 보물을 찾아보자고 제안했다.

"좋아. 그런데 보물은 어디에 있을까?"

허클베리는 기대에 찬 눈으로 톰을 쳐다보았다.

"보물은 특별한 곳에 묻혀 있어. 외딴 섬이나 유령이 나오는 집 같은 데 말이야."

톰은 허클베리 앞에서 한껏 잘난 체를 했다.

그림으로 이루어진 문자를 상형 문자라고 한단다. 한자, 수메르 문자, 이집트 문자 따위를 통틀어 말해.

"그렇군. 대체 누가 그런 걸 숨겨 놓는 거지?"

"그야 도둑들이지."

"톰, 그러면 나중에 찾으러 오잖아."

"물론 처음에는 찾으러 올 생각으로 숨겨두겠지. 하지만 시간이 지나면서 어디에 숨겼는지 잊어버리기도 하고, 훔친 도둑이 죽기도 하잖아. 그래서 상형 문자로 된 지도 같은 걸 남겨 놓는 거라고."

"톰, 그러면 너한테 그런 지도가 있다는 말이야?"

허클베리의 얼굴에는 호기심이 가득했다.

"당연히 없지."

"그러면 보물을 어떻게 찾겠다는 거야?"

"허크, 우선 보물이 있을 만한 집으로 가는 거야. 스틸 하우스 강 상류에 유령이 나온다는 집이 있거든."

"그곳 어디에 보물이 있는지 알아?"

허클베리가 미심쩍어 하자 톰은 친구를 설득說得하기 시작했다.

"유령이 나오는 집 근처 언덕부터 파면 되잖아. 허크, 금화가 담긴 항아리와 다이아몬드가 가득한 상자를 찾았다고 상상해 봐. 근사하지 않아?"

톰의 설득에 넘어간 허클베리는 고개를 끄덕였다.

둘은 삽과 곡괭이를 들고 유령의 집이 보이는 언덕에 도착했다.

"보물을 발견하면 파이와 소다수를 실컷 사 먹을 거야. 서커스단 구경도 해야지!"

허클베리가 신이 나서 재잘거렸다.

설득(說得) : 상대편이 따르도록 여러 가지로 깨우쳐 말함.

"난 북을 살 거야. 칼도 사고, 빨간색 넥타이랑 커다란 개도 사야지. 아, 그리고 결혼도 할 거야."

톰의 말에 허클베리는 풀이 죽었다.

"결혼? 네가 결혼하면 난 무척이나 심심할 것 같아."

"허크, 너도 우리 집에서 같이 살면 되잖아. 자, 이제 땅을 파자!"

톰과 허클베리는 땀을 뻘뻘 흘리며 언덕을 팠으나 보물은 나오지 않았다.

"여긴 없나 봐. 다른 곳을 파 보자."

아이들은 다른 곳을 깊숙이 팠으나 이번에도 보물은 나오지 않았다.

"톰, 여기도 아닌가 봐!"

"허크, 아무래도 유령의 집을 파 봐야겠다. 거기에는 분명히 있을 거야."

"싫어, 톰. 거긴 무서워. 유령은 정말 싫단 말이야."

"걱정 마. 유령은 낮에는 돌아다니지 않아."

톰과 허클베리는 언덕을 내려와 유령의 집에 도착했다.

무성히 자란 잡초와 부서진 울타리와 무너진 굴뚝, 창틀만 남은 창문이 휑한 느낌이었다. 둘은 우선 유령의 집 주변만 둘러본 뒤 집으로 돌아갔다.

다음 날 오후, 톰과 허클베리는 곡괭이와 삽을 들고 유령의 집 앞에서 만났다. 그곳은 너무나 조용하여 무시무시하기까지 했다.

톰과 허클베리는 덜덜 떨면서도 살금살금 집 안으로 들어갔다. 이곳저곳을 둘러본 톰과 허클베리는 곡괭이와 삽을 구석에 던져 놓고 2층으로 올라갔다. 낡은 옷장이 놓여 있었지만 역시 텅 비어 있었다.

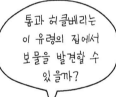

톰과 허클베리는 이 유령의 집에서 보물을 발견할 수 있을까?

톰과 허클베리는 실망하여 다시 계단을 내려오려 했다.

"쉿! 저 소리 들려?"

톰의 말에 가만히 귀를 기울이니 누군가 문 쪽으로 다가오고 있었다.

"톰, 어떡해. 도망가자!"

"가만, 꼼짝하지 말고 있어."

톰과 허클베리는 2층 마룻바닥에 바짝 엎드려 틈 사이로 1층을 내려다보았다. 그때 두 남자가 집 안으로 들어왔다.

'저 사람은 귀머거리에 벙어리인 스페인 노인이잖아.'

톰과 허클베리는 아는 사람이어서 다행이라고 생각했다. 스페인 노인의 뒤를 따라 들어온 남자는 모자를 눌러써 누군지 알 수 없었지만 어딘가 낯이 익었다. 스페인 노인은 벽에 등을 기대고 앉아 입을 열었다.

"이런 일은 썩 내키지 않아. 아주 위험하단 말이야."

벙어리인 줄 알았던 스페인 노인이 말을 하자 톰과 허클베리는 소스라치게 놀랐다.

"무슨 말이오!"

톰과 허클베리는 그 목소리에 한 번 더 놀랐다. 목소리의 주인공은 다름 아닌 인디언 조였다. 아이들은 온몸을 바들바들 떨면서 그의 말에 귀를 기울였다.

"나 원, 벌건 대낮에 여기 오는 것보다 더 위험한 일이 어디 있소?"

"하지만 우리가 숨을 곳은 여기밖에 없다고. 꼬마 녀석 둘이서 이 집이 훤히 내려다보이는 언덕에서 놀고 있으니 어쩌겠어?"

스페인 노인의 말에 톰과 허클베리는 온몸을 와들와들 떨었다. 아무것도 눈치 채지 못한 두 남자는 음식을 꺼내 먹었다.

'그 일'이란 대체 뭘까? 살인범 조는 무슨 일을 벌이려는 걸까?

"이봐, 당신은 다시 상류로 올라가 있어요. 난 마을로 내려가 기회를 보다가 적당한 때가 오면 '그 일'을 처리하겠소. 그러고 나서 텍사스로 도망칩시다."

인디언 조의 말에 스페인 노인은 고개를 끄덕였다.

"알았어. 그런데 650달러나 되는 은화를 들고 다닐 수는 없으니 두고 가야겠어."

"좋소. 여기 오는 건 별로 힘들지 않으니까 땅속 깊이 묻어 둡시다."

두 남자는 방을 가로질러 벽난로 뒤에 있는 돌을 하나 들어올리더니 쩔렁쩔렁 동전 소리가 나는 자루를 들고 왔다. 인디언 조는 땅을 파기 시작했다.

"어라, 이게 뭐지?"

인디언 조가 땅을 파다 말고 소리를 질렀다.

"왜 그러는데?"

"땅 속에 낡은 궤짝이 있소. 내가 궤짝에 구멍을 뚫을 테니 좀 도와주시오. 아니 됐소. 구멍이 뚫렸소."

조가 궤짝에 손을 집어 넣어 무엇인가를 끄집어냈다.

"우아, 금화잖아!"

두 남자는 상자 안의 금화를 한 움큼씩 들어 올리며 기쁨을 감추지 못했다.

"얼른 마저 파내자고. 내가 좀 전에 저쪽 구석에서 곡괭이와 삽을 봤거든."

스페인 노인은 톰과 허클베리가 가져온 곡괭이와 삽을 들고 왔다. 인디언 조는 곡괭이를 주의 깊게 들여다보다가 뭔가 이상한 듯 고개를 갸웃거렸다. 그러나 금화가 더 중요하다고 생각했는지 열심히 땅을 파서 상자를 꺼냈다.

"이거, 수천 달러도 넘겠군."

인디언 조의 말에 스페인 노인이 오래전의 기억을 떠올리며 입을 열었다.

"어느 여름엔가 머렐 일당이 여기서 지냈다는 소문이 있긴 했어."

"그 얘기는 나도 들었소. 아마도 그 녀석들 것인가 보군요."

"이제 수천 달러도 넘는 금화를 손에 넣었으니 자네가 말했던 '그 일'은 접어도 되지 않나?"

스페인 노인의 물음에 인디언 조는 벌컥 화를 냈다.

"난 돈이 필요한 게 아니라 복수를 하려는 거요! 아무튼 당신의 도움이 필요하니 약속 장소에 가서 내가 연락할 때까지 기다리시오."

"알았어. 그런데 이 많은 금화는 어떡하지? 다시 묻어둘까?"

"아니오, 곡괭이와 삽에 흙이 묻은 걸 보니 사용한 지 얼마 안 된 것 같소. 주인이 곡괭이와 삽을 찾으러 올지 모르니까 내 은신처隱身處로 옮깁시다."

"그게 좋겠군. 1호로 갈까?"

"아니, 2호로 갑시다. 십자가 밑 말이오."

두 남자는 금화가 든 상자와 은화가 든 자루를 들고 밖으로 나갔다.

톰과 허클베리는 조심스럽게 몸을 일으켜 1층으로 내려왔다. 그리고는 통나무로 만든 문 틈새로 두 남자의 뒷모습을 한참동안 지켜보았다.

두 남자는 보물 상자를 들고 강 쪽을 향해 걸어갔다. 뒤따라갈까 고민하던 톰과 허클베리는 언덕을 지나 마을로 발걸음을 옮겼다.

다음 날, 톰은 서둘러 허클베리를 찾아갔다. 배의 가장

은신처(隱身處) : 몸을 숨기는 곳.

자리에 걸터앉은 허클베리는 강물에 발을 담근 채 깊은 생각에 잠겨 있었다.

"안녕, 허크. 어제 일을 생각하는 거야?"

톰이 다가가 앉으며 물었다.

"응. 아무래도 우린 보물을 찾을 기회를 놓친 것 같아."

"맞아, 2호라는 곳이 도대체 어딘지 알아야 말이지."

"톰, 대체 2호가 어디일까?"

허클베리는 답답한 표정으로 물었다.

"글쎄, 아마도 집 주소거나 여관 방 번호 같아. 내가 한 번 알아보고 올게."

톰은 그 길로 여인숙을 찾아갔다. 여인숙 주인 아들 말에 의하면 2호실을 늘 잠겨 있는데다 아무도 드나드는 사람이 없다고 했다. 그러면서 어젯밤에는 불이 켜져 있었다고 말해 주었다. 톰은 많은 정보情報를 갖고 허클베리에

정보(情報) : 관찰이나 측정을 통해 수집한 자료를 실제 문제에 도움이 될 수 있도록 정리한 지식이나 자료.

게 돌아왔다.

"아무래도 거기 같아. 인디언 조가 복수하러 마을에 내려온다고 했으니까 머잖아 그 여관을 찾아올 거야. 그러니 숨어 있다가 나타나면 뒤를 밟도록 하자. 인디언 조가 다른 데로 간다면 그 여관에 보물이 없다는 말이겠지."

톰의 말에 허클베리도 고개를 끄덕였다. 둘은 며칠 동안 여관 주변을 서성거렸지만 스페인 노인이나 인디언 조는 나타나지 않았다.

어느 날 밤, 톰은 폴리 이모의 낡은 양철 등잔과 수건을 가지고 몰래 나왔다. 직접 여관 안으로 들어가 보기로 결심한 것이다.

톰은 등잔불을 밝힌 후 수건으로 불빛을 감쌌다. 허클베리가 망을 보는 동안 톰은 조심조심 안으로 들어갔다. 밖에서 기다리는 허클베리는 심장(心臟)이 터질 것 같았다. 한참이 지나도 톰은 나오지 않았다.

심장(心臟) : 혈액을 몸 전체로 보내는 순환계의 중심적인 기관.

별안간 톰이 여관 안에서 번개처럼 튀어나오며 외쳤다.

"얼른 도망쳐! 빨리!"

둘은 정신없이 달려 마을 외곽의 폐허가 된 도살장에 도착했다. 도살장 안으로 들어온 톰과 허클베리는 숨을 몰아쉬었다.

"정말 끔찍했어. 혹시나 해서 2호실 손잡이를 돌려 봤는데 문이 열리잖아. 재빨리 들어가서 등잔불을 밝혀 보니 인디언 조가 누워 있지 뭐야!"

톰의 말에 허클베리의 얼굴이 하얗게 질렸다.

"뭐라고? 정말?"

"인디언 조가 맞다니까. 등잔불을 씌운 수건을 벗기다가 하마터면 그의 손을 밟을 뻔했거든. 그래서 똑바로 봤어. 술에 취했는지 바닥에 뻗어서 자고 있더군."

만일 인디언 조가 깨어 있었다면 상상하기 힘든 일이 벌어졌을 거야.

"우아! 정말, 대단하다, 톰. 그런데 상자는 봤어?"

"정신이 없어 제대로 둘러보지 못했는데 눈에 띄는 곳에는 상자가 없었어."

"톰, 인디언 조가 취해 자고 있다고 했지? 그럼 지금 가서 찾아보고 상자가 있으면 들고 오자."

"인디언 조가 깨면 어떡하고? 무섭단 말이야. 그러니 인디언 조가 확실히 방을 비울 때까지 기다리자. 이제 난 집으로 돌아가야겠어."

"알았어, 톰. 내가 여관 주위를 망볼게. 고양이 울음소리로 신호를 보낼 테니까 그때 나와."

"그래, 허클베리. 언제든 일이 생기면 곧바로 신호를 보내."

아이들은 굳은 결의_{決意}를 다진 후 밖으로 나왔다.

결의(決意) : 뜻을 정하여 굳게 마음을 먹음.

7장
사라진 톰과 베키

금요일 아침, 베키는 학교 친구들에게 초대장을 돌렸다. 토요일에 소풍을 가자는 초대장이었다. 모두들 밤잠을 이루지 못할 만큼 흥분했다. 톰도 보물 생각을 잠시 잊기로 했다.

다음 날 아침이 밝자 아이들은 베키의 집에 모여 출발 준비를 했다. 베키의 어머니 대처 부인은 베키에게 당부했다.

"만약에 늦거들랑 부두 근처에 있는 하퍼 부인 댁에서 자고 오렴."

"네, 그렇게 할게요."

뒤늦게 톰과 만난 베키가 어머니의 말을 전하자 톰이
나섰다.

"베키, 하퍼 부인 댁에 가지 말고 언덕 위에 있는 더글
러스 아주머니 댁에 가서 자자. 거긴 맛있는 아이스크림
이 있거든. 우리가 가면 무척 반가워하실 거야."

"정말 재밌겠다! 하지만 엄마가 꾸중하시
지 않을까?"

"아니야. 너의 엄마도 더글러스 아주머
니 댁이 먼저 생각났다면 거기서 자라고
말씀하셨을 거야."

늘 다정하게 대해 주는 더글러스 아주
머니를 떠올린 베키는 결국 그렇게 하기
로 했다.

보물 생각은 잠시
접어 두고 오늘은
맘껏 즐기자고!

톰은 오늘 밤 허클베리가 신호를 보낼지도 모른다는 생
각이 들었으나 우선 소풍을 즐기기로 했다.

아이들을 태운 증기선은 한적한 포구에 도착했다. 가까
운 숲과 언덕으로 올라간 아이들은 소리를 지르면서 웃고

뛰놀았다. 정신없이 놀던 아이들은 시장기를 느끼자 준비해 온 음식을 먹으면서 휴식을 취했다.

"동굴에 가 볼 사람?"

누군가 큰 소리로 외치자 너도나도 가고 싶다며 자리에서 일어났다.

아이들은 양초를 준비하고 맥두걸 동굴이 있는 언덕으로 올라갔다. 튼튼한 떡갈나무로 만든 문은 잠겨 있지 않았다. 아이들이 문을 열고 들어서니 동굴 안은 얼음 창고처럼 시원했다. 석회암 벽에는 물방울이 송골송골 맺혀 있었다. 촛불에 비치는 동굴은 신비로워 보이기까지 했다.

아이들은 가파른 내리막길을 줄지어 내려갔다. 머리 위로 치솟은 암벽岩壁은 끝이 보이지 않았고, 통로의 폭은 겨우 2, 3미터밖에 되지 않았다. 좁은 길이 이리저리 나 있어 거대한 미로 속을 걷는 듯했다.

아이들은 샛길을 따라 흩어졌다가 다시 만나 서로를 놀

암벽(岩壁) : 깎아지른 듯이 높이 솟은 벽 모양의 바위.

라게 하면서 즐겁게 놀았다. 한참 뒤 아이들은 숨을 몰아 쉬며 동굴 입구로 모여들었다. 다들 촛농과 진흙으로 지저분했지만 표정은 밝았다. 그러다 문득 날이 저문 것을 깨닫고는 모두 깜짝 놀랐다. 증기선에서는 출발을 알리는 종을 30분 전부터 울리고 있었다.

그 무렵 허클베리는 여관에서 나온 스페인 노인과 인디언 조의 뒤를 쫓고 있었다. 톰에게 알리고 싶었지만 그러면 두 남자를 놓칠 것 같았다.

스페인 노인과 인디언 조는 강가를 따라 걸어가더니 카디프 언덕을 올랐다. 언덕 중턱에 있는 존스 노인 집 앞을 지나고 채석장도 지나쳐 계속해서 올라갔다. 언덕 꼭대기에 오른 두 남자는 옻나무 넝쿨 숲으로 난 좁은 길로 들어섰다. 허클베리는 재빨리 두 남자를 쫓아갔으나 너무 어두워 놓치고 말았다.

'놓쳤나?'

허클베리가 허탈해 하는데 어디선가 헛기침 소리가 들려왔다. 허클베리는 소리 나는 곳으로 조심스럽게 다가갔다. 그곳은 더글러스 부인의 집에서 다섯 걸음도 채 떨어지지 않은 곳이었다.

"불이 켜져 있는 걸 보니 손님이 온 것 같소."

인디언 조의 목소리였다.

"그래? 난 잘 안 보이는데."

스페인 노인의 목소리였다.

허클베리는 그제야 인디언 조가 복수하려는 사람이 바로 더글러스 부인이라는 것을 알아차렸다. 그대로 도 망치고 싶었으나 더글러스 부인이 친절親切하게 대해 주던 일들이 떠올

랐다. 허클베리는 더글러스 부인에게 이 사실을 알려 주고 싶었지만 용기가 나지 않았다. 이러지도 저러지도 못하고 발만 동동 구르고 있는데 인디언 조가 스페인 노인에게 말하는 소리가 들렸다.

친절(親切) : 대하는 태도가 매우 정겹고 고분고분함.

"그렇다고 포기할 순 없소. 저 여자의 남편은 나한테 굉장히 못되게 굴었소. 치안 판사治安判事라고 나를 부랑자로 몰아세워 감옥에 처넣었단 말이오. 게다가 마을 사람들이 보는 앞에서 때리기까지 했소. 그 작자는 이미 죽고 없지만 저 여자한테라도 복수를 해야 속이 시원할 것 같소."

"죽일 거야?"

"흥, 죽이는 건 복수가 아니오. 저 여자의 코를 잘라 내고 귀를 베어 버릴 거요."

두 남자의 말을 몰래 엿듣던 허클베리는 조심스럽게 뒷걸음질했다. 나뭇가지가 발에 걸려 '뚝' 하고 부러졌지만 아무도 듣지 못한 듯했다.

허클베리는 옻나무 넝쿨로 둘러싸인

치안 판사(治安判事) : 영미법에서 약식 재판의 권한을 갖는 재판관.

길을 빠져나와 달리기 시작했다. 이윽고 존스 노인 집 앞에 도착한 허클베리는 문을 쾅쾅 두드렸다.

"누가 시끄럽게 문을 두드리는 거요?"

존스 노인이 창문으로 얼굴을 내밀며 소리쳤다.

"저예요, 허클베리 핀이에요! 얼른 들여보내 주세요."

존스 노인은 문을 열어 주며 물었다.

"대체 무슨 일이냐?"

"제발 저한테 들었다는 말만은 하지 말아 주세요."

허클베리는 안으로 들어서며 불쑥 그 말부터 내뱉었다.

"허크, 무슨 일인데 그러니? 비밀을 지킬 테니 어서 말해 봐라."

허클베리는 두 남자가 더글러스 부인에게 복수를 하기 위해 왔다는 이야기를 모두 털어놓았다. 존스 노인은 큰아들과 작은아들을 불러내 총을 들고 언덕 위로 올라갔다. 그들이 옻나무 넝쿨로 둘러싸인 작은 길로 들어선 것을 확인한 허클베리는 더 이상 따라가지 않고 바위 뒤로 몸을 숨겼다.

얼마 뒤 총 소리가 나더니 곧이어 비명이 이어졌다. 깜짝 놀란 허클베리는 정신없이 언덕을 달려 내려갔다.

다음 날 날이 밝자마자 허클베리는 존스 노인의 집을 다시 찾았다.

아, 어떡해. 살인범이 제멋대로 돌아다니니 불안해서 살 수가 없잖아.

"아침식사를 같이 하자꾸나. 어젯밤에도 우리 집에 함께 있었으면 좋았잖아."

존스 노인은 반갑게 맞아 주었다.

"너무 무서워 여기까지 올 수가 없었어요. 그런데 어떻게 되었나요?"

"더글러스 부인은 무사하지만 내가 재채기를 하는 바람에 안타깝게도 그들을 놓치고 말았단다. 두 아들이 달아나는 그들을 향해 총을 쏘았지만 빗나가고 말았단다. 나와 아들들은 꽤 멀리까지 추격했지만 힘에 부쳐서 결국 보안관에게 신고했단다. 이제 아침이 되었으니 수색대와 보안관이 찾아 나설 거다. 그들이 어떻게 생겼는지 봤니?"

"네, 한 사람은 벙어리에 귀머거리인 스페인 노인이에
요. 또 한 사람은 아주 사납게 생긴 남자인데……."

허클베리는 머뭇거리다가 다시 한 번 존스 노인에게 다
짐을 받았다.

"제가 알렸다는 사실을 아무한테도 말하지 마세요, 제
발 부탁이에요."

"알았다. 하지만 허크, 넌 대단한 일을 했으니 칭찬 받
아야 해."

"아니에요, 아무 말씀도 하지 말아 주세요."

"그래, 알았다. 내가 널 보호(保護)해 주마. 자, 또 한 사람
이 누군지 말해 보렴."

허클베리는 망설이다 존스 노인의 귀에 대고 속삭였다.

"또 한 사람은 인디언 조였어요."

허클베리의 말에 존스 노인은 깜짝 놀라 의자에서 떨어
질 뻔했다.

보호(保護) : 위험이나 곤란 따위가 미치지 않도록 잘 보살펴 돌봄.

"그래, 말해 줘서 고맙다. 불쌍한 것, 안색顔色이 좋지
않구나. 여기서 푹 쉬고 가렴."

허클베리가 아침 식사를 막 끝냈을 때 누군가 문을 두
드렸다. 허클베리는 재빨리 몸을 숨겼다. 존스 노인이 문
을 열자 더글러스 부인이 서 있었다.

허클베리, 잘했어.
아이들 힘으로 해결하기
어려운 일은 어른에게
부탁하렴.

"제 목숨을 구해 주셔서 정말 고마
워요."

더글러스 부인은 감사의 인사를 전
했다.

"사실 부인께서 감사를 표시할 사람은
나도 나의 두 아들도 아닙니다. 그 사람은
자기가 누군지 밝히지 말아 달라고 신신당부
를 했습니다."

존스 노인의 말에 더글러스 부인은 깜짝 놀랐다.
제발 이름만이라도 가르쳐 달라고 사정했으나 존스 노인

안색(顔色) : 얼굴빛.

은 더 이상 입을 열지 않았다.

아침이 되자 사람들이 교회로 모여들었다. 두 악당에 대한 소문은 이미 마을 전체로 퍼져 있었다.

예배를 마친 대처 부인과 하퍼 부인은 나란히 복도를 걸어 나왔다.

"우리 베키는 아직도 자는 모양이죠? 하긴, 피곤하기도 할 거예요."

"네? 베키라니요?"

하퍼 부인의 말에 대처 부인이 깜짝 놀라며 물었다.

"어젯밤에 우리 베키가 댁에서 자지 않았나요?"

"아뇨, 베키는 우리 집에 오지도 않았어요."

하퍼 부인 말에 대처 부인의 얼굴이 새하얗게 질리더니 그 자리에 주저앉고 말았다.

멀리서 하퍼 부인을 발견한 폴리 이모가 달려왔다.

"하퍼 부인, 우리 톰이 어젯밤 댁에서 잤나 보죠? 이 녀석이 혼날까 봐 교회에 나오지도 않았군요."

하퍼 부인은 곤란한 표정을 지으며 고개를 저었다.

"아니에요, 톰도 우리 집에서 자지 않았어요."

그 말에 폴리 이모의 얼굴에도 하얘졌다. 간신히 정신을 차린 폴리 이모는 조 하퍼에게 물었다.

"조, 톰을 마지막으로 본 게 언제였니?"

조는 언제였는지 정확히 기억나지 않는다고 대답했다.

톰과 베키가 사라졌다는 이야기에 마을이 발칵 뒤집혔다. 마을 사람들은 아이들을 찾기 위해 보트와 증기선을 준비해 동굴로 향했다.

폴리 이모와 대처 부인은 눈물을 흘리며 뜬눈으로 밤을 지새웠다. 하지만 새벽이 밝아 올 때까지 아이들이 무사하다는 소식은 들리지 않았다.

그 무렵 존스 노인은 집으로 돌아왔다. 열에 들뜬 허클베리는 정신을 잃고는 헛소리를 해 댔다. 의사도 마을 사람들과 함께 동굴로 가 허클베리의 간호는 더글러스 부인이 맡았다.

아침까지도 수색은 계속됐다.

"여기 좀 와 봐. 낯익은 글씨가 보여!"

한 남자가 소리쳤다.

마을 사람들은 촛불의 그을음으로 '베키와 톰' 이라고 쓰여진 바위를 발견했다. 바위 옆에는 촛농이 묻은 리본도 떨어져 있었다. 한눈에 베키의 리본을 알아본 대처 부인은 큰 소리로 통곡했다. 딸의 마지막 유품이 될지도 몰랐기 때문이다.

그렇게 사흘이 지났다. 마을은 활기를 잃고 깊은 슬픔에 잠겼다.

톰과 베키는 살았을까?
지금처럼 휴대폰이 있었다면
동굴에서 길을 잃지
않았을 텐데.

8장
보물 상자를 찾다

아이들과 함께 술래잡기 놀이를 하던 톰과 베키는 곧 싫증이 났다. 둘은 촛불을 높이 쳐들고 구불구불한 길을 따라 동굴 아래로 향했다. 촛불의 그을음으로 동굴 바위에 서로의 이름을 새겨 넣기도 했다.

이윽고 톰과 베키는 작은 폭포^{瀑布}가 있는 곳에 닿았다. 폭포 뒤에는 가파른 계단이 놓여 있었다. 톰과 베키는 계단을 오르면서 나중에 길을 찾을 수 있도록 벽에 그을음을 표시해 두었다.

폭포(瀑布) : 물이 곧장 쏟아져 내리는 높은 절벽.

한때 탐험가를 꿈꿨던 톰은 동굴 속으로 더 깊숙이 들어갔다. 굵고 긴 종유석鐘乳石이 반짝거리며 천장에 매달려 있는 모습은 아주 흥미로웠다. 동굴 깊은 곳으로 들어가 보니 바닥에 수정 같은 돌들이 깔린 작은 샘물도 나타났다.

포유류 가운데 유일하게 날 수 있는 박쥐는 무섭거나 해로운 동물이 아니야.

톰은 천장을 향해 촛불을 높이 들어올렸다. 천장에 매달려 있던 수백 마리의 박쥐들이 불빛에 놀란 나머지 촛불을 향해 달려들었다.

톰과 베키는 쫓아오는 박쥐를 피해 정신없이 달렸다. 박쥐의 습격으로 베키의 촛불이 꺼지고 말았다. 그곳에서 톰은 지하 호수를 발견했다. 톰은 호수를 탐험하고 싶었지만 잠시 쉬기로 했다. 그제야 동굴 안의 고요함

종유석(鐘乳石) : 지하수가 석회암 지대를 용해하여 생긴 동굴의 천장에 고드름 같이 달려 있는 석회석.

이 느껴졌다.

"아이들 소리가 들리지 않은 지 꽤 된 것 같지?"

베키가 톰에게 물었다.

"그래, 우리가 너무 많이 내려온 것 같다. 그런데 방향을 잘 모르겠는걸."

"얼른 돌아가는 게 좋겠어, 톰. 그런데 나가는 길은 알 수 있겠니?"

"길은 찾을 수 있어. 그런데 박쥐들 때문에 걱정이야. 촛불을 꺼뜨리면 큰일이잖아. 그러니 박쥐가 없는 다른 길로 가 보자."

톰은 한 손으로는 베키의 손을 꽉 쥐고 다른 한 손에는 촛불을 든 채 한참을 걸었다. 길이 너무 낯설어 어느 쪽으로 가야 할지 종잡을 수가 없었다. 갈림길이 나타날 때마다 베키는 톰의 표정을 조심스럽게 살폈다.

"베키, 너무 걱정 마. 반드시 길을 찾아낼 테니까."

톰이 큰소리쳤지만 계속 잘못된 길로 들어서자 베키는 결국 울음을 터뜨렸다. 베키가 바닥에 주저앉아 두 손으

로 얼굴을 가린 채 울어 대자 톰은 그 옆에 앉아 베키를 꼭 껴안으며 달랬다.

"울지 마. 괜찮을 거야. 아무래도 박쥐들이 있던 그 길로 가야 할 것 같다."

톰은 왔던 길로 되돌아가려고 했지만 아무런 표시도 해 두지 않아 찾을 수가 없었다.

"톰, 표시도 해 두지 않았으니 이제 어떡해?"

베키가 울부짖었다.

"이 길은 박쥐가 많아서 다른 길로 나가려고 표시하지 않은 거야. 아, 어쩌지? 어디가 어딘지 모르겠어!"

절망적인 톰의 말을 듣고 베키는 한참을 울었다. 톰은 베키의 어깨를 감싸며 위로했다. 결국 두 아이는 발길 닿는 곳으로 무작정 걸었다.

얼마나 헤맸을까. 베키는 더 이상 걷지 못하겠다면서 주저앉았다. 톰도 베키 옆에 앉았다. 베키는 울다가 이야기하다가 또 울었다. 톰이 달래도 아무 소용이 없었다. 결국 베키는 울다가 지쳐 잠이 들었다.

베키가 잠에서 깨어나자 둘은 또다시 걸었다. 이윽고
샘물을 발견한 톰과 베키는 잠시 쉬기로 했다.

"배고프다."

톰도 무섭고 힘들
거야. 하지만 베키를
잘 돌봐 주고 있군.

베키가 중얼거리자 톰은 호주머니에
서 케이크 한 조각을 꺼냈다.

"지금 우리가 가진 건 이게 전부야."

둘은 케이크를 나누어 먹고 샘물도 마
셨다.

"베키, 이제부터 우린 여기 있어야 할
것 같아. 이게 마지막 양초거든."

톰의 말에 베키가 눈물을 뚝뚝 흘리면
서 물었다.

"사람들이 우리를 찾고 있을까?"

"물론이지. 지금쯤 베키 너의 엄마도 네가 없어진 걸
아셨을 거야."

어머니 이야기를 듣자마자 베키는 또다시 소리 내어 엉
엉 울었다.

잠시 뒤 촛불이 깜빡이더니 이윽고 꺼지고 말았다. 사방에 깜깜한 어둠이 찾아왔다.

"잠깐, 무슨 소리가 나는 것 같아."

톰의 말에 베키가 귀를 기울였다. 아주 희미하게 사람들 말소리가 들려왔다.

"아, 우리가 사라진 것을 알고 사람들이 찾아온 거야."

베키는 언제 울었냐는 듯 환하게 웃어 보였다.

그러나 톰과 베키가 기뻐할 새도 없이 말소리는 점점 멀어졌다.

톰은 주머니에 늘 넣고 다니던 연줄을 꺼내 한쪽 끝을 돌부리에 묶고 베키와 함께 더듬더듬 기어갔다. 얼마쯤 나아가자 불과 20미터도 떨어지지 않은 바위 뒤에서 촛불을 든 사람의 손이 보였다.

반가운 마음에 톰이 소리를 지르며 일어서려는 순간, 바위 뒤에 있던 사람이 벌떡 일어서며 모습을 드러냈다.

바로 인디언 조였다.

톰은 얼른 몸을 숨겼다. 그리고 베키와 함께 샘물이 있는 곳으로 돌아갔다. 더 이상 돌아다니다가는 인디언 조와 마주치게 될지도 몰랐다. 그렇다고 가만있을 수도 없는 일이었다. 결국 톰은 베키를 샘물 옆에 놓아둔 채 혼자서 연줄을 쥐고 엉금엉금 기어 길을 찾아 나섰다.

화요일이 지나갔다. 아이들을 찾지 못한 마을은 여전히 깊은 슬픔에 잠겨 있었다. 대처 부인은 앓아 누웠고, 폴리 이모는 심한 우울증憂鬱症에 고통스러워했다.

그런데 한밤중에 마을 종이 요란하게 울려 퍼지면서 마을 사람들이 소리쳤다.

"여러분, 기뻐하세요. 아이들이 돌아왔어요. 톰과 베키를 찾았다고요!"

톰과 베키는 마차를 타고 마을로 들어섰다. 두 아이를 보자 마을 사람들은 환호와 함께 만세를 불렀다. 허겁지겁 달려 나온 대처 부인은 딸을 안고 입을 맞추었다. 폴리 이모도 톰을 와락 끌어안으며 뜨거운 눈물을 흘렸다.

우울증(憂鬱症) : 근심 걱정으로 마음이 늘 우울한 상태.

톰은 소파에 드러누워 기가 막힌 모험 이야기를 늘어놓았다. 베키를 샘물 옆에 홀로 두고 연줄이 닿는 곳까지 두 개의 통로를 따라 엉금엉금 기어간 이야기, 세 번째 통로로 들어갔으나 연줄이 모자라 돌아 나오려는 순간, 멀찌감치 떨어진 곳에서 빛이 새어 들어와 더듬거리며 기어갔던 이야기, 작은 구멍으로 머리와 어깨를 집어넣고 보니 미시시피 강이었다는 이야기까지 톰은 자랑스럽게 떠벌렸다. 한밤중이었으면 그 빛을 보지 못했을 거라며 안도의 한숨까지 내쉬었다.

톰과 베키가 무사히 돌아와 정말 다행이야!

그러나 톰과 베키가 빠져나온 곳은 동굴 입구로부터 8킬로미터나 떨어진 곳이어서 사람들은 다들 믿을 수 없다는 표정이었다.

해도 뜨기 전에 마을 사람들은 아이들이 돌아왔다는 이야기를 수색대에 전했다.

톰과 베키는 사흘 동안 고생한 탓에 기운을 회복하는

기간도 그만큼 더뎠다. 톰은 허클베리가 병이 났다는 소식과 카디프 언덕에서 있었던 이야기를 빠짐없이 전해 들었다.

2주일 뒤, 톰은 허클베리와 함께 베키네 집을 찾았다.

베키의 아버지 대처 판사는 교회 학교에서 만난 적이 있는 톰에게 관심을 보이며 이것저것 물었다.

보물을 찾으려는 톰의 의지는 정말 대단해.

대처 판사가 동굴에 또 가고 싶냐고 놀리듯이 물었다. 톰은 웃으면서 가고 싶다고 대답했다.

"그래, 너 같은 녀석이 또 있을까 봐 이제는 막아 두었다. 동굴 입구에 커다란 철문을 달고 삼중 자물쇠까지 채웠거든. 열쇠는 나한테 있단다."

대처 판사의 말을 듣는 순간, 톰의 얼굴이 새하얗게 질렸다.

"판사님, 동굴 안에 인디언 조가 있어요."

톰의 말을 듣고 깜짝 놀란 사람들이 동굴에 달려가 보니 인디언 조는 동굴 입구에 엎드린 채 죽어 있었다. 땅을 파려고 얼마나 애썼는지 옆에는 두 동강 난 칼이 놓여 있었다. 마을 사람들은 인디언 조를 동굴 가까운 곳에 묻은 뒤 조용히 장례를 치렀다.

장례식 다음 날, 톰은 허클베리를 불러내어 비밀을 털어놓았다.

"허크, 금화는 여관에 있는 게 아니야. 인디언 조가 동굴 속에 숨겨 뒀어."

"정말이야? 확실해?"

허클베리의 눈이 휘둥그레졌다.

"그래, 확실해. 우리가 가지러 가자."

"하지만 동굴 입구를 막아 놓았잖아."

허클베리가 실망한 표정으로 말했다.

"내가 빠져나왔던 구멍으로 들어가면 돼. 배를 타고 출발하자."

"그래 좋아, 톰. 지금 당장 가자!"

"보물을 담을 자루와 빵, 고기, 연줄을 가져가자. 아,
성냥하고 양초도 필요해."

톰과 허클베리는 작은 배를 타고 강을 따라 내려갔다.
이윽고 둘은 톰이 빠져나왔던 작은 구멍을 찾았다. 톰과
허클베리는 배에서 내려 모든 준비를 마치고 구멍 속으로
걸어 들어갔다. 입구 주위에 연실을 단단히 묶어 놓고는
앞으로 나아갔다. 잠시 뒤, 톰과 베키가 머물렀던 샘물이
나왔다. 마지막 양초의 흔적痕跡도 보였다. 두 사람은 천
천히 앞으로 나아갔다. 인디언 조를 만났던 곳에 도착하
자 톰이 촛불을 높이 들어 가리켰다.

"허크, 저쪽 모퉁이 끝을 봐. 큰 바위에 촛불의 그을음
으로 그려 놓은 게 보여?"

"앗, 저건 십자가잖아."

"그래, 인디언 조가 이야기했던 2호의 십자가 밑은 바
로 여기를 의미하는 거야."

흔적(痕跡) : 어떤 현상이나 실체가 없어졌거나 지나간 뒤에 남은 자국이나 자취.

톰이 자세히 말해 주자 그제야 이해理解가 된 듯 허클베리가 고개를 끄덕였다.

둘은 재빨리 땅을 파기 시작했다. 10센티미터쯤 팠을 때 판자가 보였다. 판자를 들어 올리자 땅속으로 연결된 통로가 나타났다. 톰은 양초를 들이밀어 깊숙한 곳까지 촛불로 비춰 보았다. 하지만 끝이 어디인지 좀처럼 감을 잡을 수 없었다.

"허크, 아무래도 안으로 들어가 봐야 할 것 같아."

톰은 그렇게 말하고는 앞장서서 안으로 들어갔다. 오른쪽으로 왼쪽으로 정신없이 구부러진 길을 따라 내려가다가 큰 소리로 외쳤다.

"이것 좀 봐, 허크. 보물이 정말 있어!"

상자 속에는 금화가 가득했다. 톰과 허클베리는 자루가 불룩해질 때까지 금화를 챙겨 넣었다.

해가 뉘엿뉘엿 지기 시작할 무렵 톰과 허클베리는 배를

이해(理解) : 사리를 분별하여 해석함.

몰았다. 강변에 다다른 톰은 작은 수레를 구해 와 금화가 들어 있는 자루를 실었다.

"허크, 일단은 더글러스 아주머니네 헛간에 감춰 놓자. 그리고 나서 안전하게 숨길 만한 곳을 찾아보는 거야."

톰이 앞장서 수레를 끌고 허클베리는 뒤에서 힘껏 밀며 더글러스 아주머니 헛간으로 향했다. 둘이 존스 노인 집을 지나치는데, 존스 노인이 두 사람을 보고는 허겁지겁 뛰어나왔다.

"애들아, 마침 잘 만났다. 이리 오너라. 근데 수레에 든 건 뭐냐?"

"고철이에요."

"그래, 고철 같더구나. 어쨌든 얼른 좀 따라오렴. 더글러스 부인 댁으로 가자."

톰과 허클베리는 등을 떠밀리다시피 해서 더글러스 부인의 집으로 들어갔다. 존스 노인은 수레를 직접 끌어 더글러스 부인의 현관 가까이에 세워 두고는 서둘러 집 안으로 들어갔다.

거실에는 말끔하게 옷을 차려입은 사람들이 모여 있었다. 더글러스 부인은 톰과 허클베리를 2층 침실로 데려가더니 정장 두 벌을 꺼내 주었다.

톰은 어려운 처지의 친구를 감싸 주는 속 깊은 면도 있단다.

"자, 셔츠며 양말까지 준비했단다. 너희에게 잘 맞을 테니까 입고 내려오너라."

더글러스 부인이 나가고 둘만 남자 허클베리가 입을 열었다.

"왜 저러지? 난 사람들 많은 곳은 불편하단 말이야."

"허크, 괜찮아. 별다른 일은 없을 거야."

톰은 머뭇거리는 친구의 등을 톡톡 두드리면 용기를 주었다.

둘은 옷을 갈아입고 사람들이 모여 있는 거실로 갔다. 존스 노인은 더글러스 부인이 위기에 처했을 때 허클베리가 도와주지 않았더라면 큰일 났을 거라며 허클베리를 칭찬했다.

더글러스 부인도 허클베리에게 고마움과 찬사(讚辭)를 아끼지 않았다. 허클베리는 사람들의 관심이 차려입은 양복보다 더 거추장스러웠다.

더글러스 부인은 거기서 그치지 않고 허클베리와 함께 살 거라는 말까지 했다. 학교도 보내 주고 원한다면 장사도 시켜 주겠다고 했다.

"아주머니, 정말 고맙습니다. 하지만 허크는 이제 부자니까 돈은 필요 없어요."

톰의 말에 사람들은 어리둥절한 표정을 지었다. 톰은 재빨리 밖으로 나가더니 수레에 있던 자루를 낑낑거리며 들고 와 금화를 쏟아 냈다.

"자, 보셨죠? 절반은 허클베리 거고, 나머지 절반은 내 거예요."

산더미같이 쌓인 금화를 직접 확인한 마을 사람들은 입을 떡 벌리고 아무 말도 하지 못했다.

찬사(讚辭) : 칭찬하거나 찬양하는 말이나 글.

톰은 금화를 찾게 된 이야기를 신나게 엮어 나갔다. 사람들도 어느새 흥미진진한 표정으로 바뀌어 톰의 이야기를 들었다.

금화는 1만 2천 달러가 조금 넘었다. 마을에서 그들보다 재산이 많은 사람은 몇몇 있었지만 한꺼번에 이렇게 많은 돈을 본 사람은 아무도 없었다.

톰과 허클베리는 어디를 가든 대접을 받았고, 만나는 사람들마다 칭찬을 아끼지 않았다. 예전에 개구쟁이 짓을 했던 일들과 평범했던 일상까지 지나치게 부풀려 마을 신문의 1면을 장식했다.

더글러스 부인은 허클베리의 돈을 수익률이 좋은 곳에 투자했으며, 폴리 이모도 톰의 돈을 이익이 많이 나는 곳에 투자했다. 금화를 기반基盤으로 해서 더 많은 돈을 벌어들이게 된 것이다. 대처 판사는 톰을 아주 좋아했다. 톰이 평범한 아이였다면 동굴에서 자기 딸을 구하지 못했을

기반(基盤) : 기초가 되는 바탕 또는 사물의 토대.

거라면서 칭찬을 아끼지 않았다.

학교에서도 자신이 받아야 할 벌을 톰이 대신 받았다는 베키의 말을 듣고는 아주 흐뭇해 했다.

대처 판사는 톰이 자라서 훌륭한 변호사나 군인이 되리라 확신했다.

한편, 허클베리는 후견인인 더글러스 부인 때문에 하루하루가 고통스러웠다. 늘 머리와 옷을 단정히 해야 하고 깨끗한 시트에서 잠을 자야 했으며, 음식을 먹을 때도 나이프와 포크를 사용해야 하고 책 읽기도 배우고 교회에도 다녀야 했다. 허클베리에게 점잖게 행동하고 말하는 것은 너무나 힘든 일이었다.

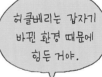

허클베리는 갑자기 바뀐 환경 때문에 힘든 거야.

그래도 3주일 동안은 그런 생활을 끙끙 거리며 버텨 냈다. 하지만 더 이상 참을 수 없었는지 허클베리는 어느 날 갑자기 사라졌다. 톰은 폐허가 된 도살장 뒤편의 빈 통 속에서 허클베리를 찾아냈다.

허클베리는 예전처럼 지저분하고 자유분방自由奔放한 모습으로 누더기를 걸치고 있었다. 얼굴도 아주 편안해 보였다.

"다들 걱정하고 있어. 더글러스 아주머니 집으로 돌아가자."

톰이 권했지만 허클베리는 손을 휘휘 내두르며 고개를 저었다.

"톰, 그런 생활은 내게 맞지 않아. 난 설교라면 질색이고 정장 따위를 입고 다니는 건 더더욱 싫어. 게다가 규칙적인 생활은 정말 참을 수 없어. 대체 하지 말라는 건 왜 그렇게 많은 거야? 낚시 갈 때도 꼭 허락을 받아야 한다니까."

"허크, 누구나 그렇게 살고 있어. 제멋대로 해서는 이 세상을 살아갈 수 없단 말이야."

"난 싫어. 학교를 다니는 것도 싫고. 차라리 부자가 되

자유분방(自由奔放) : 격식이나 관습에 얽매이지 아니하고 행동이 자유로움.

지 않았더라면 좋았을 뻔했어. 최소한 이런 고생은 하지 않았을 테니까 말이야. 톰, 너한테 내 몫의 돈을 줄 테니까 가끔 10센트씩만 주라. 그리고 나 대신 더글러스 아주머니한테 말해 줘. 난 의적義賊이 되려고 했는데, 부자가 되는 통에 그럴 수 없게 되었다고 말이야."

"허크, 부자라고 의적이 될 수 없는 건 아냐. 의적은 해적보다 지위가 높거든. 그래서 네가 존경 받는 사람일 때 비로소 될 수 있는 거야. 그렇지 않으면 널 우리 조직에 끼워 줄 수 없어."

"해적 놀이할 때는 끼워 줬잖아. 설마 혼자서만 의적이 되려는 건 아니겠지, 톰?"

허클베리는 톰의 눈치를 살피며 물었다.

"나도 그러고 싶지 않아, 허크. 그러니 잘 생각해 봐."

톰의 말에 허클베리는 잠시 고민하더니 마침내 결심이 선 듯 입을 열었다.

의적(義賊) : 의협심이 많은 도적.

"알았어. 더글러스 아주머니 댁에서 한 달 동안 더 지내 볼게."

"좋아! 그럼 오늘 밤 아이들을 모아 입단식入團式을 하자."

"입단식? 그게 뭔데?"

"조직의 비밀을 누구에게도 말하지 않고, 조직원을 괴롭히는 사람은 없애 버리겠다고 맹세하는 거야."

"와, 근사하다. 톰!"

"허크, 오늘 밤 죽은 사람의 관 앞에서 피로 맹세하자."

"좋아, 역시 해적보다 의적이 훨씬 멋있어. 내가 의적이 되어 사람들의 칭찬을 받으면 더글러스 아주머니도 대견하게 여길 거야."

가슴 벅찬 내일을 꿈꾸는 허클베리의 눈동자가 밝게 빛났다.

> 톰과 허클베리,
> 새로운 모험을 향해
> 출발!

입단식(入團式) : 어떤 단체에 들어갈 때 하는 의식.

PART 3

PART 3 PART 3

PART 3 PART 3 PART 3

PART 3 PART 3 PART 3 PART 3

PART 3 PART 3 PART 3 PART 3 PART 3

PART 3 PART 3 PART 3 PART 3 PART 3 PART 3

PART 3 PART 3 PART 3 PART 3 PART 3

PART 3 PART 3 PART 3 PART 3

PART 3 PART 3 PART 3

PART 3 PART 3

깊어지는 논술

새로운 것에 대한 도전을
두려워하지 마!

PART 3

깊어지는 논술

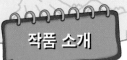

톰 소여의 모험 (The Adventures of Tom Sawyer)

마크 트웨인이 1876년 펴낸 〈톰 소여의 모험〉은 작가 자신의 소년 시절을 바탕으로 쓴 이야기예요. 마크 트웨인은 작품 속의 톰처럼 기발하고 유쾌한 장난을 즐기고 모험을 좋아하는 아이였다고 해요.

당시 보수주의자들은 마크 트웨인이 쓴 〈톰 소여의 모험〉을 별로 좋아하지 않았어요. 톰의 눈에 비치는 한심한 어른들의 모습을 통해 미국 사회의 부조리한 면이 드러났기 때문이지요.

〈톰 소여의 모험〉의 인기를 바탕으로 마크 트웨인은 1884년 〈허클베리 핀의 모험〉을 후속으로 출판했어요. 두 작품 모두 생생하게 살아 움직이는 등장인물의 대담하면서도 신랄한 유머가 일품이지요. 그래서 오늘날까지 어린이뿐 아니라 어른들도 많이 좋아한답니다.

◀ 〈톰 소여의 모험〉은 작가 마크 트웨인이 자신의 어린 시절을 토대로 썼다고 합니다.

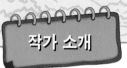
마크 트웨인 (Mark Twain, 1835~1910)

'미국 근대 문학의 아버지'라 불리는 마크 트웨인은 미국 플로리다에서 가난한 개척민의 아들로 태어났어요. 네 살 때 미시시피 강가로 이사를 왔으며 열두 살 때 아버지를 여의었지요. 그 뒤 미시시피 강의 수로 안내인이 되어 일을 했어요. 몇 년 뒤에는 남북 전쟁에 참가하고 미국 사회를 날카롭게 풍자하는 작품을 쓰기 시작했지요.

미국인만의 독자적인 체험과 성격을 신선한 언어로 표현한 마크 트웨인은 세계적으로 큰 인기를 얻었어요. 대표작으로는 〈허클베리 핀의 모험〉, 〈왕자와 거지〉, 〈도금 시대〉가 있답니다.

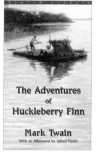

◀ 헤밍웨이는 "모든 미국 문학은 〈허클베리 핀의 모험〉에서부터 나온다"고 주장하기도 했습니다.

흥미진진한
모험의 세계로 떠나 봐요!

한 번쯤 기막힌 모험을 하고 싶지 않나요?

〈톰 소여의 모험〉을 재미있게 읽었나요? 대담하고도 결단력 있는 톰의 생각과 행동을 보면서 여러분은 무엇을 느꼈나요?

톰은 부모가 없지만 우울해 하거나 좌절하지 않아요. 오히려 자기를 보살펴 주는 폴리 이모를 골탕 먹이면서 안락하고 편안한 생활을 거부하지요. 외딴 섬을 찾아가 모험을 즐기거나 보물 찾기에 열중하는 톰은 새로운 환경을 즐기며 살아가요. 여러분도 이런 삶을 상상해 본 적이 있나요? 혹시 부모의 보살핌에 익숙해져 아무 생각 없이 살아가지는 않나요? 만약 톰의 행동을 보고 엉덩이를 들썩이면서 박수쳤다면 여러분도 기막힌 모험을 원하는 거예요.

톰의 행동에 변화를 일으킨 사람들을 살펴보며 톰을 좀 더 자세히 알아볼까요?

　폴리 이모는 톰의 장난과 속임수 때문에 늘 걱정을 안고 살아요. 톰을 진정으로 사랑하기 때문이지요. 톰을 그저 말썽꾸러기로만 알았던 폴리 이모는 차츰 톰을 이해하면서 모든 것을 포용하는 인물로 변화하지요.

　톰은 폴리 이모나 다른 누군가를 괴롭히기 위해서 장난을 치거나 모험을 떠나는 것이 아니에요. 그저 재미있고 신나는 일을 위해, 곧 자신의 삶을 위해 움직이는 인물이랍니다.

인디언 조는 생각만 해도 소름 끼치는 살인자예요. 살인을 저질러 놓고도 다른 사람에게 뒤집어씌우는 데서 잘 알 수 있지요. 톰은 살인 사건을 목격한 후 한참을 고민하지만 결국 사람들 앞에서 진실을 말합니다.

이 모습에서 톰이 진실한 마음과 양심을 지녔음을 알 수 있지요. 이는 포터 영감에게 담배와 먹을 것을 가져다주는 톰의 행동에서도 나타납니다. 톰은 아무 생각 없이 사고만 저지르는 장난꾸러기가 아닌, 따뜻한 마음을 지닌 인물임을 알 수 있지요.

사람들은 톰에게 어떻게 살아야 하는지 가르쳐 주지 않아요. 톰
도 다른 사람의 충고를 받아들이지 않고 제 생각대로 행동하고요.
그렇게 사는 톰은 너무나 유쾌하고 즐겁습니다.

이것은 톰이 자신을 향해 꽂혀 있던 비난의 시선들을 자기 힘으로
물리치기 때문이지요. 이것이 바로 톰이 원하는 삶이기도 해요. 톰은
허클베리에게 직접 충고해 줄 만큼 혼자 힘으로 훌륭하게 성장합니다.

허클베리 핀은 톰과는 다른 삶을 선택해요. 처음에는 무작정 톰에게 끌려 다니는 듯하지만 마지막에는 허클베리 핀만의 자유롭고 생동적인 삶을 보여 주지요. 다시 말해 어른들의 설교, 충고 없이 스스로 성장한 것이 톰의 삶이라면 문명을 거부하는 것은 허클베리의 삶이지요.

자신의 판단대로 산다는 것은 참 어려운 일이에요. 사회의 따가운 시선을 고스란히 느끼며 이겨 낼 수 있어야 하니까요. 하지만 그 사회가 반듯하지 못하다면, 자신이 원하는 삶과 다르다면 끝까지 소신을 지키며 행동해야 하지 않을까요? 그것이 바로 자신만의 진실한 삶을 사는 방법이 아닐까요? 해답은 여러분의 판단에 맡길게요.

톰과 허클베리는 우정을 나누는 친구라고! 진정한 친구가 되려면 어떻게 해야 할까?

톰과 허클베리는 보물을 찾아 행복해졌을까? 그들이 보물을 찾지 못했다면 불행한 삶을 살았을까? 한번 곰곰이 생각해 봐!

PART 4
PART 4 PART 4
PART 4 PART 4 PART 4
PART 4 PART 4 PART 4 PART 4
PART 4 PART 4 PART 4 PART 4 PART 4
PART 4 PART 4 PART 4 PART 4 PART 4
PART 4 PART 4 PART 4 PART 4 PART 4
PART 4 PART 4 PART 4 PART 4
PART 4 PART 4 PART 4 PART 4
PART 4 PART 4 PART 4

논술 워크북

톰은 어려움이 닥쳐도
결코 좌절하지 않아.
논술이 어렵다고 포기하지 말라고!

PART 4

논술 워크북

1-1 톰과 허클베리는 한밤중에 묘지에서 무엇을 보았나요?

1-2 톰 소여가 해적, 의적이 되고 싶다고 말한 까닭은 무엇
인가요?

HINT

죽은 고양이를 가지고 간 묘지에서 일어난 사건을 떠올려 보세요.
성격이 활달한 톰은 모험을 좋아합니다.

2 부자가 된 허클베리는 더글러스 아주머니의 보살핌을 받
으면서 안락하게 살 수 있었습니다. 그러나 허클베리는
규칙적인 생활이 싫다는 이유로 다시 부랑자 생활을 선택
하려 했지요. 여러분이 거리의 아이였다가 갑자기 부자
가 된 허클베리와 같은 입장이라면 어떻게 하겠습니까?
여러분의 생각과 그 이유를 적어 보세요.

HINT

정답은 없으므로 자신의 생각을 적어 보세요. 단, 이유를 분명하게 밝혀야
합니다.

3 폴리 이모가 톰에게 페인트칠을 시켰을 때, 톰은 그 일이 아주 재미있는 척 연기를 해서 친구들이 대신 하도록 만들었습니다. 일을 마쳤을 때 폴리 이모, 톰, 친구들까지 모두 만족했습니다. 그런데 친구들에게 시키는 것보다 더 효과적인 방법이 있다면 어떤 것이 있을까요?

HINT

이야기에 나오는 등장인물과 배경 등을 떠올리면서 생각해 보세요. 엉뚱하고 기발한 생각도 좋습니다.

4 톰은 자주 학교에 빠지고 자기가 좋아하는 놀이를 합니
다. '학교에 가지 않아도 훌륭한 어른이 될 수 있다.'는 주
장을 옹호하는 논증을 만들어 보세요. 그리고 '학교에 가
지 않으면 훌륭한 어른이 될 수 없다.'는 주장을 옹호하는
논증도 만들어 보세요.

HINT

설득력을 얻기 위해서는 반드시 근거를 제시해야 합니다. 어떤 근거를 제시
해야 주장을 효과적으로 뒷받침할 수 있을지 생각해 보세요.

5 〈톰 소여의 모험〉에는 다음과 같은 이야기가 나옵니다. 이 이야기에서 나타나는 톰과 허클베리의 차이점에 대해서 논술해 보세요.

한편, 허클베리는 후견인인 더글러스 부인 때문에 하루하루가 고통스러웠다. 늘 머리와 옷을 단정히 해야 하고 깨끗한 시트에서 잠을 자야 했으며, 음식을 먹을 때도 나이프와 포크를 사용해야 하고 책 읽기도 배우고 교회에도 다녀야 했다. 허클베리에게 점잖게 행동하고 말하는 것은 너무나 힘든 일이었다.

그래도 3주일 동안은 그런 생활을 끙끙거리며 버텨 냈다. 하지만 더 이상 참을 수 없었는지 허클베리는 어느 날 갑자기 사라졌다. 톰은 폐허가 된 도살장 뒤편의 빈 통 속에서 허클베리를 찾아냈다.

허클베리는 예전처럼 지저분하고 자유분방한 모습으로 누더기를 걸치고 있었다. 얼굴도 아주 편안해 보였다.

"다들 걱정하고 있어. 더글러스 아주머니 집으로 돌아가자."

톰이 권했지만 허클베리는 손을 휘휘 내두르며 고개를 저었다.

"톰, 그런 생활은 내게 맞지 않아. 난 설교라면 질색이고 정장 따위를 입고 다니는 건 더더욱 싫어. 게다가 규칙적인 생활은 정말 참을 수 없어. 대체 하지 말라는 건 왜 그렇게 많은 거야? 낚시 갈 때도 꼭 허락을 받아야 한다니까."

"허크, 누구나 그렇게 살고 있어. 제멋대로 해서는 이 세상을 살아갈 수 없단 말이야."

"난 싫어. 학교를 다니는 것도 싫고. 차라리 부자가 되지 않았더라면 좋았을 뻔했어. 최소한 이런 고생은 하지 않았을 테니까 말이야. 톰, 너한테 내 몫의 돈을 줄 테니까 가끔 10센트씩만 주라. 그리고 나 대신 더글러스 아주머니한테 말해 줘. 난 의적이 되려고 했는데, 부자가 되는 통에 그럴 수 없게 되었다고 말이야."

"허크, 부자라고 의적이 될 수 없는 건 아냐. 의적은 해적보다 지위가 높거든. 그래서 네가 존경받는 사람일 때 비로소 될 수 있는 거야. 그렇지 않으면 널 우리 조직에 끼워 줄 수 없어."

HINT

톰은 왜 "누구나 그렇게 살고 있어."라고 말했을까요?

6 다 쓴 글을 친구나 부모님 앞에서 발표해 보세요. 그리고 듣는 사람이 고개를 끄덕이는지 아니면 고개를 갸우뚱하는지 반응도 살펴보세요. 발표가 끝난 뒤 평가도 부탁해 보세요.

가이드북
GUIDE BOOK

홍미진진했던
모험은 잠시 잊고
차분한 마음으로
논술을!

작품의 전체 줄거리

미시시피 강변의 작은 마을에 사는 장난꾸러기 톰은 허클베리와 함께 한밤중에 묘지에 갔다가 인디언 조가 사람을 죽이는 것을 목격합니다. 톰과 허클베리는 인디언 조가 포터 영감에게 죄를 뒤집어씌운 것을 알지만 보복이 두려워 모른 체합니다.

톰은 조 하퍼, 허클베리와 섬으로 모험을 떠났다가 자신들이 물에 빠져 죽은 줄로 아는 마을 사람들이 장례식을 치를 때 나타나 사람들을 놀라게 합니다. 톰은 살인 사건의 진실을 밝히고, 인디언 조는 행방을 감춥니다. 톰과 허클베리는 우연히 인디언 조가 보물을 숨긴 것을 알게 됩니다. 어느 날 소풍을 갔던 톰은 베키와 함께 동굴에서 길을 잃지만 무사히 돌아옵니다. 인디언 조는 동굴에 갇히고, 톰은 보물을 찾아냅니다.

〈톰 소여의 모험〉의 의미

〈톰 소여의 모험〉은 '미국의 셰익스피어'로 불리는 마크 트웨인의 작품으로, 1876년에 발표했습니다.

이 이야기는 활발하고 재치 넘치는 소년의 모험을 그리고 있습니다. 작품 속에서 마크 트웨인은 어른들의 위선과 문명사회의 부조리함을 날카로운 유머로 묘사합니다. 이러한 점들은 보수주의자의 반발을 사기도 합니다. 미국의 일부 도서관에서는 이 소설을 어린이가 읽지 못하게 금서로 지정하기도 했습니다. 이와 같은 일화는 이 작품이 지닌 풍자의 힘이 얼마나 날카롭고 센지를 말해 줍니다.

〈톰 소여의 모험〉은 〈허클베리 핀의 모험〉과 더불어 빼어난 작품성을 가진 고전으로, 미국 현대 문학의 문을 연 작품이라는 평가를 받고 있습니다.

사고 영역 _ 사실적 이해

본문을 잘 읽었는지 확인하는 문제입니다. 3장을 잘 읽었다면 바르게 답할 수 있습니다.

톰과 허클베리는 죽은 고양이의 시체를 갖고 마법을 행하기 위해 묘지에 갔습니다. 단순히 모험과 재미를 즐기려고 묘지에 갔으나 그곳에서 엄청난 사건을 목격합니다. 두 소년은 인디언 조가 살인을 저지르고, 그 죄를 다른 사람에게 뒤집어씌우는 과정을 고스란히 보게 됩니다.

사고 영역 _ 사실적 이해

본문을 잘 읽고 등장인물의 성격을 이해했는지 확인하는 문제입니다.

톰은 장난치기를 좋아하는 활발한 악동입니다. 어른들이 시키는 대로 얌전히 있는 것보다는 스스로 재미있는 일을 벌이고 모험을 하는 것을 좋아하지요. 어른들의 생활이 갑갑하고 위선적으로만 보이는 톰에게 해적이나 의적은 매일 모험과 신나는 생활을 할 수 있는, 이상적인 꿈으로 여겨지는 것입니다.

CHECKPOINT

사건의 줄거리를 잘 파악했는지 확인합니다.
톰 소여의 성격을 잘 파악했는지 확인합니다.

② 사고 영역 _ 비판적 사고

비판적 사고란 사물이나 사건을 분석적으로 바라보고 생각한다는 의미입니다. 자신의 입장에서 다시 한 번 생각해 보고 이야기에 나오는 문제에 대한 이해도를 더 높일 수 있습니다.

허클베리는 더글러스 아주머니가 강요하는 규칙적이고 예의 바른 생활을 버리고 거리의 생활을 선택하려 했습니다. 남들이 보기에 안락한 생활도 허클베리에게는 남루한 거리의 생활보다 못했나 봐요. 어딘가에 구속당하거나 행동에 제약 받는 것을 견디는 것도 쉬운 일은 아니죠. 이런 점에서 보자면 허클베리는 인습에 구애 받지 않는, 아주 자유로운 사람이라고 할 수 있지요.

여러분이 허클베리와 같은 입장이라면 어떠했을까요? 제대로 된 가정에서 교육을 받고, 사람들과 함께 살아가는 데 필요한 예의범절을 몸에 익히는 게 중요하다고 생각한다면, 당장의 불편함을 참고 더글러스 아주머니 집에 머물 것입니다. 반면에 허클베리처럼 지금 내가 편하고 행복을 느끼는 게 중요하다고 생각한다면, 집을 나오거나 다른 방법을 찾겠지요. 여러분의 생각을 자유롭게 적되, 그렇게 생각하는 이유를 분명히 밝혀 주세요.

✓ CHECKPOINT

적절한 이유를 들어서 자신의 생각을 밝힐 수 있어야 합니다.

3 사고 영역 _ 창의적 사고

창의적인 문제 해결 방법을 생각해 보는 문제입니다.

톰은 아주 기발한 방법을 써서 하기 싫은 일을 손쉽게 해결했습니다. 하기 싫은 일을 재미있는 일처럼 꾸미고, 게다가 그 일은 아무나 할 수 없다는 인상까지 풍겨서 아이들이 해 보고 싶게 만들었지요. 일을 억지로 해야 하는 노동이 아니라 놀이로 바꾼 것입니다. 그래서 보물을 갖다 바치면서까지 일을 대신한 아이들은 만족스러운 기분을 느꼈습니다. 일을 꾸민 톰과 아무것도 모르는 폴리 이모는 말할 것도 없지요.

여러분이라면 어떤 방법을 쓰겠습니까? 이런 방법도 생각해 볼 수 있겠네요.

마을 사람들에게 그럴듯한 헛소문을 퍼뜨리는 겁니다. 오늘 톰의 집 담장에 흰 페인트로 이름과 소원을 쓰면 행운이 온다고 말이에요. 그러면 사람들이 너도나도 페인트와 붓을 들고 몰려와 이름과 소원을 쓰는 통에 담장은 곧 하얗게 칠해질 것입니다. 페인트 값도 절약되어 일석이조이겠는걸요.

기발하고 엉뚱한 생각도 얼마든지 좋습니다. 여러분의 생각을 말해 보세요.

 CHECKPOINT

주어진 과제를 창의적으로 생각하고 문제 해결 방법을 제시할 수 있어야 합니다.

논술 4단계 해설 | 주장과 의견을 말해요

4 사고 영역 _ 논리적 사고

하나의 생각거리를 다양한 관점에서 바라볼 수 있게 해 주는 문제입니다.
이런 과정을 통해 자신의 의견을 주장하는 올바른 방법을 배우게 됩니다.

'학교에 가지 않아도 훌륭한 어른이 될 수 있다.' 는 주장을 옹호하기
위해서는 그 주장을 뒷받침해 주는 이유를 제시해야 합니다. 학교에 다니
는 것 말고도 우리가 삶의 지혜를 배울 수 있는 방법이 매우 많다는 것을
증명하는 것이 근거가 될 수 있습니다. 또 학교에 다니지 않은 사람들이
꿈을 이루고 훌륭한 어른이 된 구체적인 예를 들어 주는 것도 주장을 뒷
받침하는 적절한 근거가 됩니다.

'학교에 가지 않으면 훌륭한 어른이 될 수 없다.' 는 주장을 옹호하기
위해서는 학교의 역할이 중요하다는 것을 증명해야 합니다. 친구들이나
선생님과 함께 생활하면서 체험으로 얻을 수 있는 지혜들을 구체적으로
예시해 보세요. 규칙적이고 성실한 생활을 통해 자유가 방종으로 치닫는
것을 예방할 수 있다는 점 등 학교가 가진 좋은 점들을 근거로 제시해야
합니다.

 CHECKPOINT

주장을 뒷받침하는 타당하고 적절한 근거를 제시하는 것이 중요합니다.

제시된 글을 보고 논술에서 요구하는 문제점을 정확하게 찾아낼 수 있는
지 확인합니다.

허클베리는 더글러스 부인의 집에서 사는 것을 고통스럽게 느꼈습니
다. 그래서 부인의 집을 나와 다시 부랑자 생활로 돌아갔지요. 그런 생활
은 허클베리에게 자유를 느끼게 해 주었습니다.

그 허클베리에게 톰은 "누구나 그렇게 살고 있어."라고 충고합니다.
그리고 더글러스 아주머니의 집으로 되돌아가도록 유도합니다. 톰은 자
유를 희생하더라도 다른 사람들과 비슷한 방법으로 어울려 살아야 한다
고 생각하는 것이지요.

여기서 비슷하게만 보였던 톰과 허클베리의 개성이 명확한 차이를 드
러냅니다. 톰은 가족과 사회를 받아들이고, 그 안에서 사람들을 조롱하고
모험을 추구하는 멋쟁이 악동입니다. 반면에 허클베리는 가족과 사회의
바깥에서 누구의 시선에도 아랑곳하지 않는 자유인입니다.

CHECKPOINT

제시된 글을 분석하여 두 인물의 차이점을 찾아낼 수 있어야 합니다.

다음 글은 예시 답안입니다. 참고하시기 바랍니다.

　　톰과 허클베리, 둘은 모험을 좋아하는 소년입니다. 그리고 〈톰 소여의 모험〉에서 무슨 일을 할 때 계획을 세우고 대장 역할을 하는 사람은 주로 톰입니다. 톰은 타고난 활달함과 말재주로 다른 아이들을 꾀고 부추깁니다. 그러다 보니 〈톰 소여의 모험〉에서 허클베리는 톰에게 끌려 다니는 것처럼 보이기도 합니다.

　　그런데 소설 마지막 부분에서 두 사람의 개성이 서로 다르다는 것이 명확하게 드러납니다.

　　허클베리는 규칙적이고 제약이 많은 생활을 견디지 못해 더글러스 부인의 집에서 나옵니다. 그런데 이런 허클베리에게 톰은 "누구나 그렇게 살고 있다."면서 다시 돌아가라고 충고합니다. 이 말은 두 사람이 생각이 다르다는 것을 확실하게 알려 주는 것입니다.

　　톰은 가족과 사회 안에 있으며, 그 안에서 살아가기를 바랍니다. 톰은 가정과 사회의 틀 안에서 모험을 하고 어른들을 조롱하면서 또래들을 부추기는 멋쟁이 악동으로 머물러 있습니다.

　　반면에 허클베리는 가족과 사회의 바깥에 있습니다. 허클베리는 자신을 속박하는 모든 틀을 거추장스럽게 생각하는 영원한 자유인인 것입니다.